Innover c'est bien...
breveter c'est mieux !

Catalogage avant publication de Bibliothèque et Archives nationales du Québec et Bibliothèque et Archives Canada

Jean, Mireille, 1960-
Innover, c'est bien— breveter, c'est mieux!

ISBN 978-2-89472-448-4

1. Brevets d'invention. 2. Propriété intellectuelle.
3. Brevets d'invention - Évaluation. I. Titre.

T339.J42 2009   608   C2009-942410-X

Conception graphique de la couverture : Corbus

Imprimé au Canada
© Mireille Jean, Dépôt légal – Bibliothèque et Archives nationales du Québec, 1er trimestre 2010
Bibliothèque et Archives Canada

Mireille Jean

Innover c'est bien…
breveter c'est mieux !

Comment faire de l'argent avec des brevets

Remerciements

Il y a tellement de personnes qui m'ont secondée dans ce projet d'écriture que je trouve hasardeux d'en faire la liste. Cependant, elles sont trop importantes pour passer leurs noms sous silence.

Alors voici :

Merci à Daniel qui m'encourage, me soutient et m'accompagne dans tous mes projets. Je partage avec lui tout le mérite du contenu de cet ouvrage.

Merci à Normand qui, dès le début de mon aventure dans le domaine du brevet, a cru en moi et m'a fait comprendre tant l'importance des brevets en affaires que l'importance de l'entrepreneur qui les gère.

Merci à tous mes lecteurs qui, généreusement, ont lu et parfois relu les première, deuxième ou troisième versions de cet ouvrage. Merci à Pierre, Denis, Guy, Yann, Mario, Leanne, Isabelle, Jean-Pierre, Michel,

Aline, Antoine, Nancy, Danielle, Marie-Thérèse, Diane et les autres pour la pertinence de vos commentaires. Il y a un peu de vous tous dans ce livre.

Merci à Daniel et à Geneviève qui acceptent de partager quotidiennement mes folies, dont l'écriture d'un livre.

Table des matières

Préface

Les PME et les entrepreneurs qui les dirigent constituent une force économique importante au Québec. S'inspirant du fameux QUÉBEC INC., les entrepreneurs québécois font constamment preuve de créativité dans leur façon de faire des affaires. Pensons seulement à Armand Bombardier et à sa motoneige, à Madeleine Desbiens et à sa pâte à modeler Tutti Frutti, ou à Paul Gallant et à son casse-tête 3D! Oui, l'entrepreneur québécois est inventif.

L'entrée des pays émergents sur l'échiquier économique mondial modifie l'environnement dans lequel évoluent nos entrepreneurs. Dans ce nouvel ordre, la propriété intellectuelle, dont le brevet fait partie, prend de plus en plus d'importance. Les multinationales ont déjà amorcé le virage pour s'adapter à ce changement. Qui aurait imaginé un jour voir IBM vendre sa division de fabrication d'ordinateurs pour se concentrer davantage sur sa propriété intellectuelle?

L'entrepreneur québécois n'échappera pas à cette nouvelle réalité, et les inventions de nos entrepreneurs ne pourront être à l'abri sans une solide protection. Or, le brevet constitue la meilleure des protections pour ces inventions.

Plusieurs hésitent cependant à s'aventurer dans cette voie. Prendre des brevets semble difficile, compliqué et inaccessible pour l'entrepreneur. Pire encore, faire des affaires avec des brevets semble encore plus difficile, compliqué et inaccessible.

J'ai croisé pour la première fois le chemin de Mireille Jean en 2005. Nous étions alors tous les deux finalistes au concours de personnalité de l'année en TI (Technologies de l'information). Elle avait signé, à cette époque, une importante entente de licence avec la société Silicon Graphics Inc. J'étais curieux de savoir comment cette entrepreneure et propriétaire d'une PME située en région avait pu placer sa technologie chez une aussi grande entreprise californienne.

En 2008, alors que j'arrivais au poste de P.D.G. de la Fondation de l'entrepreneurship, j'ai croisé Mme Jean une seconde fois. Elle était déjà membre de la fondation à titre de mentor. Elle m'apprend qu'elle a vendu ses brevets. Elle me parle de son nouveau projet, celui d'écrire un livre sur les brevets. Un livre qui présenterait le sujet selon le point de vue de l'entrepreneur.

Convaincu qu'un tel ouvrage serait d'une grande utilité à la communauté de l'entrepreneurship, j'ai attendu avec impatience son arrivée. C'est aujourd'hui chose faite.

Dans son ouvrage baptisé *Innover, c'est bien… breveter, c'est mieux!*, Mireille Jean propose un survol des différentes situations reliées au brevet qui peuvent survenir dans la vie d'un entrepreneur innovateur, et elle partage généreusement des trucs pratiques qu'elle a développés au cours de sa carrière, ainsi que son expérience sur la manière de s'en servir efficacement pour s'enrichir. Elle nous donne des pistes pour calculer la valeur d'un brevet et nous fournit aussi des moyens de défendre celui-ci, le cas échéant.

Loin de traiter de l'aspect légal du brevet, Mireille Jean en parle sous l'angle des affaires, dans un style simple et efficace, un point de vue que les entrepreneurs apprécieront, quoi!

Bref, voilà un nouvel outil qui s'adresse d'abord aux entrepreneurs qui se posent des questions sur les brevets, mais aussi aux entrepreneurs qui en ont déjà une certaine expérience et qui sauront sans doute trouver dans ce livre quelques pistes de réflexion fort intéressantes.

Bonne lecture,

Mario Girard
Président directeur général
Fondation de l'entrepreneurship

Préambule

Laissez-moi vous raconter une petite histoire

Nous sommes en 2004. Je me trouve au cœur de Silicon Valley, capitale mondiale de la technologie moderne. Je suis invitée par un leader mondial en fabrication de superordinateurs. Je trouve enfin, au milieu du complexe immobilier qui appartient à la multinationale, le siège social où l'on m'attend. Je prends soudainement conscience du fait que moi, jeune vice-présidente d'une PME québécoise ayant son siège social à Chicoutimi, je m'apprête à négocier avec une des plus grandes entreprises du monde. C'est pourtant d'égal à égal que les discussions s'amorcent. Quelques mois plus tard, je signe une licence avec la prestigieuse société Silicon Graphics Inc.

En voici une autre

Près de deux ans plus tard, je me retrouve à Armonk, petite ville située à quelques kilomètres au nord de New York. Je vais rencontrer les représentants du leader mondial en propriété intellectuelle. Dès mon arrivée, je comprends qu'on n'entre ici que si on y est invité. Je passe enfin la barrière de sécurité et j'arrive au fameux siège social de cet empire. J'entre dans le majestueux hall et donne timidement mon nom à la réceptionniste. Impressionnée, je commence à douter qu'on va me recevoir. Qui suis-je, moi, pour être ici ? Je ne suis, au fond, que la vice-présidente d'une PME située à Chicoutimi, à plus de 1 000 kilomètres au nord. Les représentants que je rencontre se demandent ouvertement comment on peut se rendre à cet endroit au nom imprononçable. Je sens le rythme de mes pulsations augmenter et mes mains devenir moites. Pourtant, là encore, on m'ouvre la porte, on m'accueille avec égards, et les discussions s'engagent d'égal à égal. Quelques mois plus tard, je signe fièrement une entente avec la prestigieuse société International Business Machine (IBM).

Comment cela a-t-il pu m'arriver ? Eh bien, tout cela s'est passé grâce à des brevets que nous avions obtenus quelques années auparavant ! Des brevets que nous avions déposés sans trop savoir à quoi cela nous servirait. Force est de constater qu'ils m'ont permis d'entrer chez les plus grands, de m'y faire respecter et d'y signer des ententes lucratives.

Il y a eu un long chemin à parcourir entre notre décision de prendre des brevets et la négociation d'ententes importantes fondées sur ceux-ci. Un chemin rempli d'inconnu, d'incertitudes, d'embûches, d'alliés et d'adversaires. Ce chemin m'a permis de comprendre les tenants et les aboutissants du domaine du brevet. J'ai surtout été à même d'apprécier les potentiels stratégiques et économiques que le brevet représente. Ces potentiels que je croyais réservés aux multinationales existent aussi dans le cas des PME.

Peut-être vous interrogez-vous sur la pertinence pour votre entreprise de déposer des brevets ? Ou sur la façon de monnayer ceux-ci ? Ou encore sur la façon de faire valoir vos droits sans nécessairement perdre votre temps devant les tribunaux ? Je me suis posé les mêmes questions il y a quelques années et j'ai travaillé très dur pour trouver les réponses.

Dans ce livre, je partage avec vous ma vision d'entrepreneure sur les défis et les opportunités d'affaires que soulève le brevet. Je fais la lumière sur certains mythes trop populaires dans le monde des affaires, des mythes qui en font hésiter plus d'un à protéger leurs inventions. En fait, je vous dévoile l'essentiel de ce que j'aurais bien aimé savoir à mes débuts en tant qu'entrepreneure dans le domaine du brevet. J'explore, entre autres choses, la manière dont on peut faire de l'argent avec un brevet. J'aborde l'univers complexe de l'évaluation financière d'un brevet. Je vous initie aux moyens à votre disposition pour défendre vos droits malgré des ressources limitées.

J'ai écrit ce livre en pensant à vous qui, quotidiennement, imaginez de nouveaux produits, inventez des procédés ou améliorez la performance de vos équipements de production. J'ai pensé à vous, innovateurs, inventeurs et même « patenteux ». J'ai écrit ce livre parce que vos innovations, vos inventions et vos « patentes » méritent peut-être une plus grande attention que celle que vous leur accordez aujourd'hui. Dans cet ouvrage, je m'adresse à vous qui sentez que prendre un brevet est important, mais qui hésitez pour mille et une raisons.

J'ai constaté au fil des ans le grand potentiel que représente le brevet pour une PME innovatrice. J'ai réalisé aussi combien ce domaine constitue un épais brouillard dans lequel nous, les entrepreneurs, devons faire notre chemin.

Ce livre met en place quelques repères à l'intention de celui ou celle qui décide de s'engager dans la voie du brevet, d'y naviguer efficacement et peut-être d'y prospérer.

Ça vous intéresse ? Alors, allons-y, et bonne lecture !

Mireille Jean
Entrepreneure

INTRODUCTION

Ma démarche d'entrepreneure

Chicoutimi, 1984 : trois universitaires fraîchement diplômés décident de créer leur emploi en démarrant une entreprise manufacturière de produits de haute technologie. Après quelques années de travail, ils prennent la décision de développer et de vendre un premier produit de leur cru. Ils apprennent alors qu'il n'est pas suffisant d'avoir le meilleur produit du monde pour réussir, il faut aussi une solide mise en marché. 1989 : c'est l'arrivée des sociétés de capital-risque qui vivront difficilement les montagnes russes de l'industrie de la haute technologie et qui quitteront 10 ans plus tard. 1990 : c'est l'entrée dans le monde des télécommunications. Nos entrepreneurs cumulent de nombreuses expériences parfois heureuses et parfois malheureuses. Mais la moyenne au bâton est bonne, et l'entreprise connaît une croissance intéressante. Avec la prospérité arrive son lot de défis relatifs à la mise en marché internationale, à la gestion des ressources tant humaines que matérielles, au financement, à la gestion de projets de recherche et développement toujours plus importants, etc. Cette décennie remplie de rebondissements est suivie de grands bouleversements qui débouchent sur la découverte du monde de la propriété intellectuelle, avec la prise de brevets et leur commercialisation.

Voilà en quelques lignes 20 ans d'histoire d'une entreprise qui s'est appelée TRIONIQ. Mon nom est Mireille Jean ; je suis vice-présidente et cofondatrice de TRIONIQ inc. Daniel Bindley en est le président et cofondateur. Daniel et moi sommes un couple en affaires, avec tout ce que cela peut représenter comme difficultés et comme richesses. Daniel et moi avons œuvré dans le monde de la manufacture, de la haute technologie, de l'exportation et de la propriété intellectuelle. Je me permets donc aujourd'hui de partager avec vous le résultat de notre travail conjoint.

Nous avons connu la prospérité des années 1990 dans l'industrie des télécommunications. Nous fournissions à de grands donneurs d'ouvrage canadiens et américains des systèmes d'aide à l'entretien et à la gestion de leur réseau de télécommunications. Nous avions d'ambitieux projets de développement lorsque, presque du jour au lendemain, pour des raisons hors de notre contrôle (notamment la chute boursière des entreprises en TI, les scandales du type Enron, les attentats du 11 septembre), nos clients ont cessé d'acheter, les commandes ont été annulées, nos contacts ont disparu, etc. En même temps, nos financiers ont suivi la vague et se sont éloignés de nous. Rien n'allait plus. À l'instar de plusieurs de nos confrères nord-américains, la faillite nous guettait. Que faire ? Nous nous sommes tournés vers une innovation que nous avions brevetée quelques années auparavant. De bouées de sauvetage, nos brevets se sont transformés en canots de sauvetage pour, finalement, constituer notre vaisseau amiral. En fait, notre portefeuille de brevets, en plus de nous avoir fait éviter le pire, nous a fait entrer dans une industrie lucrative en pleine croissance, celle de la propriété intellectuelle.

Rien ne présageait mon parcours comme chef d'une entreprise manufacturière de produits de haute technologie et encore moins comme responsable du développement des affaires liées à la propriété intellectuelle. Mon expérience devrait donc rassurer ceux et celles qui doutent de leur capacité à relever le défi de la propriété intellectuelle. Je ne suis ni ingénieure, ni avocate, ni agente de brevets ; malgré cela, j'ai fait d'excellentes affaires dans le domaine de la propriété intellectuelle. Pour tout dire, je suis architecte de formation. J'ai pratiqué mon métier quelques années, et ce, en même temps que je participais au démarrage de TRIONIQ inc. J'ai rapidement dû choisir entre mes deux occupations, et j'ai finalement consacré tout mon temps au développement de TRIONIQ. Durant 20 ans, j'ai travaillé à l'implantation de nos technologies auprès de grands donneurs d'ouvrage nord-américains. J'ai coordonné les opérations administratives, de recherche et développement, de fabrication et de marketing de TRIONIQ. J'ai été responsable du développement des affaires de l'entreprise et de la négociation des ententes particulières avec les multinationales canadiennes et américaines. J'ai bien sûr développé le potentiel commercial de notre propriété intellectuelle. J'ai fait plusieurs erreurs, certes, mais j'ai aussi marqué quelques bons coups. J'avoue que j'ai appris autant des uns que des autres.

Mon parcours semble peut-être singulier, mais sachez que je suis d'abord et avant tout une entrepreneure. À ce titre, je m'acharne toujours à relever de nouveaux défis. Mes 20 ans d'expérience à la tête d'une PME manufacturière me laissent penser que je suis à même de comprendre vos questionnements, vos inquiétudes et aussi votre attirance vers le monde de la propriété intellectuelle. C'est donc coiffée du chapeau d'entrepreneure que je vous expose dans ce livre ma compréhension des tenants et des aboutissants du domaine du brevet.

En tant qu'entrepreneure responsable de la mise en valeur de notre propriété intellectuelle, j'ai eu à répondre à plusieurs questions. Pour trouver les réponses, j'ai d'abord compté sur les services de professionnels compétents qui m'ont aidée à démêler l'aspect technique de ce milieu. Ensuite, j'ai trouvé quantité de renseignements sur la philosophie de la gestion des brevets des multinationales. Par contre, l'information relative à la réalité d'une entrepreneure qui compte sur des ressources limitées s'est faite plutôt rare. J'ai donc dû trouver et même parfois inventer les réponses à mes questions d'entrepreneure.

Naturellement, chaque cas est unique. Il varie de par la nature de l'entreprise, de l'innovation, du marché et, surtout, de l'entrepreneur. Je n'ai donc pas de formule magique à proposer. C'est dans un esprit de partage de mon apprentissage que je vous invite à poursuivre votre lecture. Vous ne trouverez pas LA réponse à vos questions, mais vous obtiendrez au moins quelques pistes de réponse, celles d'une entrepreneure qui les a obtenues à force de travail acharné, d'essais et d'erreurs, et peut-être aussi de quelques nuits d'angoisse. Ces pistes, je les partage avec vous dans l'espoir que vous atteindrez de nouveaux sommets.

Petites et grandes vérités sur le brevet

Je connais plusieurs personnes qui commencent la lecture d'un livre par la conclusion. J'en connais d'autres qui ont la lecture en horreur, mais qui se meurent de connaître le contenu d'un livre. Je connais aussi des gens qui prennent des notes et rédigent des résumés de leurs lectures. À vous tous, je révèle ici l'essentiel de mon ouvrage. Je demeure persuadée que vous lirez les pages suivantes afin d'en savoir plus sur le sujet. Voici mes 13 petites et grandes vérités sur le brevet.

1. Un brevet ne sert qu'à une seule chose : faire de l'argent !

2. Les **2 principales façons** de faire de l'argent avec un brevet sont de :

    • garder l'exclusivité obtenue par le brevet pour ses propres produits ;

    • partager l'exclusivité obtenue par le brevet par le biais de licences.

3. Les **2 façons secondaires** de faire de l'argent avec un brevet sont de :

    • vendre son brevet ;

    • poursuivre en justice les contrefacteurs.

4. Un brevet ne protège pas un produit.

5. Un brevet garantit à son propriétaire l'exclusivité de l'invention.

6. Il est possible de trouver les moyens financiers de défendre un brevet.

7. Un brevet est abordable même pour un entrepreneur.

8. Le risque d'invalidation d'un brevet persiste tout au long de sa vie.

9. Se faire copier est une bonne nouvelle.

10. Un brevet peut valoir entre zéro et plusieurs millions de dollars.

11. Quiconque utilise, vend, revend, importe, fabrique ou sous-fabrique un produit couvert par un brevet est un contrefacteur.

12. Un agent de brevets sert à prendre des brevets.

13. Un avocat sert à défendre les droits liés au brevet.

Vous voulez en savoir plus ?
J'en étais sûre !

Le brevet : mythes et réalités

Le brevet : mythes et réalités

« Prendre un brevet, ça coûte trop cher, ça ne rapporte rien, c'est toujours copié et à moins d'être une multinationale, il est impossible de le défendre. »

Ces quelques lignes résument l'essentiel des mythes qui existent dans le monde du brevet.

J'avais, à mes débuts, de fortes convictions sur les tenants et les aboutissants du brevet. C'est sur elles que s'appuyaient mes stratégies de développement des affaires. Parce que mes convictions se fondaient davantage sur des mythes que sur des réalités, mes stratégies étaient vouées à l'échec dès le départ. J'ai donc perdu temps et argent.

J'ai cerné cinq mythes qui nuisent au grand potentiel du brevet. Ils touchent à la protection apportée par le brevet, à ses coûts et à notre capacité à le défendre en tant qu'entrepreneur.

Les voici :

1. Un brevet, ça protège un produit.

2. Il n'y a pas d'argent à faire avec un brevet.

3. Un brevet, ça coûte trop cher.

4. Un brevet, c'est toujours copié.

5. On n'a pas les moyens de défendre un brevet.

Chacun de ces mythes influence la décision de l'inventeur ou de l'entrepreneur de prendre ou non un brevet. Ce choix peut avoir des conséquences heureuses ou désastreuses. Je vous présente ici mon point de vue sur ces mythes encombrants. À la lumière de mes arguments, vous serez à même de décider de breveter ou non votre innovation, et ce, en toute connaissance de cause.

CHAPITRE 1

Mythe 1 :
un brevet, ça protège un produit

Un jour, j'ai envoyé une mise en demeure à un manufacturier dont le produit contrefaisait un de nos brevets. Imaginez : nous sommes en pleine négociation, que je crois finale. Je suis convaincue que mon vis-à-vis ne peut que constater les faits et accepter mon offre. Bref, les avocats, les experts et moi, l'entrepreneure, sommes rassemblés autour de la table. L'avocate de la partie adverse déploie avec compétence son argumentation. Parmi ses tactiques d'intimidation, elle s'emploie à démontrer qu'un de nos produits contrefait un de leurs brevets. Convaincue que mon produit est inattaquable, puisqu'il est protégé par un brevet, je m'amuse intérieurement de cette tentative désespérée. En même temps, je constate l'embarras de mon propre avocat. Il perd de son assurance et commence à tergiverser. Sans que je comprenne pourquoi, la réunion se termine en queue de poisson. Mon avocat m'explique alors que, même si j'ai un brevet, mon produit demeure attaquable. Déjà estomaquée de ne pas avoir scellé l'entente prévue, je suis maintenant aux prises avec une mise en demeure de la part de mon adversaire. Un premier mythe venait de se briser.

Il existe un mythe grandement répandu dans le monde manufacturier à l'effet qu'un brevet protège un produit. J'ai longtemps cru que, avec un brevet, je pouvais fabriquer mes produits sans crainte de me faire poursuivre en contrefaçon. J'avais tort.

Pour comprendre pourquoi un brevet ne protège pas un produit, il faut d'abord connaître les droits réels liés au brevet. En fait, la chose est assez simple. Lorsqu'on parle de brevet, retenez deux expressions : exclusivité et droit de poursuivre.

L'exclusivité

Lorsque vous obtenez un brevet d'invention, vous obtenez légalement l'exclusivité de celle-ci.

Que signifie « avoir l'exclusivité » ?

D'un point de vue légal, lorsque vous avez l'exclusivité, cela signifie que personne d'autre que vous n'a le droit d'utiliser l'invention brevetée. Dans leur désir de favoriser l'innovation et la diffusion publique des inventions, les gouvernements offrent à l'inventeur la possibilité de se réserver une période de temps durant laquelle il peut exploiter commercialement et exclusivement son invention. Celui-ci prend alors un brevet.

Tout est fondé là-dessus. Lorsque vous inventez quelque chose, vous recevez, par l'intermédiaire du brevet, la reconnaissance officielle de votre effort et de votre talent. En contrepartie de la diffusion publique de votre invention, on vous assure l'utilisation exclusive du potentiel commercial de celle-ci. Vous obtenez légalement un droit exclusif sur l'invention, un droit défendable devant les tribunaux.

Le droit de poursuivre

Le droit de poursuivre découle donc de l'exclusivité que vous avez obtenue avec votre brevet. Puisque c'est légalement que vous obtenez votre brevet, c'est légalement que vous pouvez faire valoir vos droits. Vous avez le droit de poursuivre quiconque se permet volontairement ou involontairement d'utiliser, sans autorisation, votre invention brevetée. Vous avez le droit de réclamer ce qui vous est dû. Lorsque vos allégations sont légitimes et que les tribunaux vous donnent raison, ces derniers s'assurent alors que vous receviez une compensation équivalente aux dommages que vous avez subis.

Mais qu'en est-il de la protection du produit ?

En fait, on brevète un concept ou une idée. Le produit est l'expression matérielle de cette idée. Il peut donc y avoir plusieurs expressions possibles du concept couvert par un brevet, ce qui veut dire que différents produits peuvent être couverts par un même brevet.

Ce n'est pas clair ? Voici un exemple.

Vous fabriquez et vendez un verre à eau.

Lorsque vous avez inventé ce verre, vous l'avez breveté. En fait, ce n'est pas le verre que vous avez breveté, mais le concept du montage du verre.

Vous avez breveté le fait qu'un réservoir cylindrique est fixé à un support. Vous avez représenté votre idée sous la forme d'un verre qui a cet aspect.

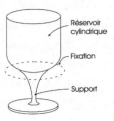

Vous auriez pu représenter votre invention sous les formes suivantes, et vous auriez tout de même pu obtenir votre brevet.

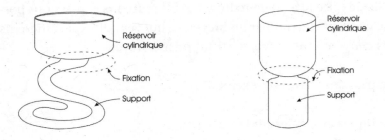

> ### ATTENTION !
>
> *Vous devez toujours représenter votre invention sous sa meilleure expression possible. Dans le cas contraire, vous vous rendez vulnérable à une tentative d'invalidation de votre brevet.*

Alors, pourquoi risquez-vous d'être poursuivi, puisque vous avez un brevet ?

Vous fabriquez ce verre à eau qui est, selon vous, protégé par votre brevet. Il se trouve que ce verre est votre unique produit. Les affaires vont bien et, dans le but d'augmenter votre chiffre d'affaires, vous demandez à votre équipe de développer un autre produit apparenté. Fort ingénieux, votre designer conçoit un nouveau verre que voici.

Vous vérifiez et confirmez que ce verre est toujours couvert par votre brevet. Rassuré, vous acceptez le projet.

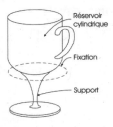

Votre vendeur est emballé. Selon lui, les clients vont raffoler de ce nouveau produit. Vous offrez donc maintenant deux types de verres. Les deux sont couverts par votre brevet. Tout va bien, vous lancez votre nouveau produit. Vos ventes augmentent, comme votre vendeur l'avait prévu. Votre part de marché grandit, et vous commencez à « déranger » la compétition.

Un beau matin, vous recevez une mise en demeure de la société MITOU. Elle vous somme de cesser immédiatement toute activité liée à ce nouveau produit sous prétexte qu'il contrefait un de ses brevets. Vous faites la sourde oreille, convaincu que vous êtes protégé par votre brevet. Quelques mois plus tard, vous vous retrouvez en cour, et le juge donne raison à MITOU. Vous retirez votre produit du marché et payez les dommages exigés par la cour.

Que s'est-il passé ?

Il y a quelques années, MITOU a obtenu le brevet que voici :

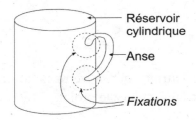

En fait, ce brevet couvre le fait d'avoir une anse fixée à un réservoir cylindrique, et la société MITOU est la seule à avoir le droit d'utiliser ce principe. Malheureusement pour vous, c'est justement ce que votre designer a intégré dans votre deuxième produit.

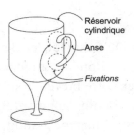

Conséquemment, votre nouveau produit, même protégé par votre brevet, contrefait le brevet appartenant à un autre. MITOU est en droit d'exiger que vous respectiez ses droits liés à son brevet. La cour lui a donné raison.

Cela semble peut-être étrange, mais voilà une réalité du monde du brevet et manufacturier.

Il existe des centaines de milliers de brevets dans le monde. Il est donc possible que votre produit intègre, sans que vous le sachiez, une innovation brevetée par quelqu'un d'autre. Votre brevet n'annule pas l'autre brevet, et le propriétaire de celui-ci a le droit de vous poursuivre pour contrefaçon.

Heureusement, l'inverse est vrai. Lorsque vous avez un brevet, vous avez le droit de poursuivre en justice quiconque contrefait votre produit.

Mythe

Un brevet, ça protège un produit.

Réalité

Un brevet ne protège ni un produit ni le propriétaire d'un brevet d'une poursuite judiciaire découlant d'une contrefaçon.

Souvenez-vous seulement qu'un brevet assure à son propriétaire l'exclusivité d'une innovation et, conséquemment, lui donne le droit de poursuivre quiconque l'utilise sans son autorisation.

CHAPITRE 2

Mythe 2 : il n'y a pas d'argent à faire avec un brevet

Il n'y a pas d'argent à faire avec un brevet : voilà un autre mythe trop répandu dans le monde de l'entrepreneurship. Voyons cela d'un peu plus près. Avant d'affirmer ce genre de chose, que diriez-vous plutôt de vous demander comment on peut faire de l'argent avec un brevet ?

Un propriétaire qui laisse dormir un actif fait en sorte que ce dernier, en plus de ne rien lui rapporter, lui coûte de l'argent. Un chef d'entreprise veut une entreprise rentable. Il utilise ses ressources, dont ses actifs, pour avoir des activités rentables. Eh bien ! il faut adopter la même approche lorsqu'on parle d'un brevet. Un brevet est un actif grâce auquel on peut faire des activités commerciales rentables.

À titre de propriétaire d'un brevet, vous disposez de plus d'une façon de gagner de l'argent.

Le brevet : un levier commercial

*Il existe, au Québec, un groupement qui aide les chefs d'entreprise à faire
face aux nombreux défis qu'ils doivent relever. Nous avions des brevets
dont je voulais me servir, mais je ne savais pas trop comment m'y prendre. J'ai appris que le groupement mettait à la disposition de ses membres une ressource spécialisée en propriété intellectuelle. M. Normand
Brault était, à l'époque, cette ressource. M. Brault a accepté de me rencontrer et de me transmettre généreusement sa vision de la chose. Voici
en quelques mots ce qu'il m'a dit : « Mireille, tu dois voir ton brevet
comme un immeuble. Ton immeuble, tu peux l'utiliser pour tes propres
besoins. Tu peux aussi le louer en tout ou en partie à quelqu'un d'autre.
Et tu peux le vendre. » Cette approche m'a renversée, autant par sa simplicité que par sa vérité. Je me suis mise à considérer nos brevets comme
des actifs, au même titre que notre immeuble, nos équipements de production et nos produits. Des actifs avec lesquels je faisais des activités
commerciales rentables.*

Premier conseil : voyez votre brevet comme un actif au même titre
qu'un immeuble ou un équipement de production. Vous pouvez l'utiliser pour vos propres besoins, le louer ou le vendre.

Ce n'est pas clair ? Voici plus de détails.

Imaginons que vous possédez un immeuble de bonne qualité et bien
situé. Vous l'utilisez de manière exclusive et y fabriquez votre produit
que vous vendez à profit. Ainsi, votre actif immobilier vous permet de
faire de l'argent.

Posséder un immeuble vous donne en fait une exclusivité d'utilisation. Vous êtes le seul à avoir accès à votre immeuble. Ici, c'est un avantage que vous gardez pour vous. Vous y faites des activités qui vous permettent de faire de l'argent.

Il existe toutefois d'autres manières d'utiliser votre immeuble. Vous décidez de permettre à d'autres d'en utiliser une partie. Vous recevrez alors des revenus de location. Dans ce cas, en plus de faire vos activités commerciales, vous maximisez votre actif immobilier en touchant des revenus supplémentaires de location.

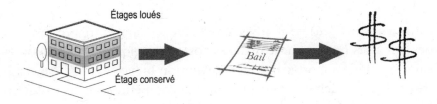

Ce n'est pas tout ; vous avez aussi la possibilité de vendre votre immeuble. Vos activités commerciales courantes ont changé, et vos besoins aussi. Vous vendez votre actif immobilier et recevez en contrepartie une somme d'argent.

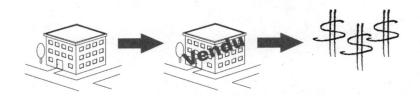

Voilà comment on gagne de l'argent avec un immeuble. Mais vous saviez déjà cela. Eh bien, dans le cas d'un brevet, c'est la même chose !

Le brevet fait partie de ce qu'on appelle la propriété intellectuelle. C'est un actif souvent qualifié de virtuel ou d'intangible. Aussi intangible soit-il, il permet de réaliser des activités commerciales.

Vos droits de propriété liés à un immeuble empêchent quiconque de s'y installer sans votre autorisation. Vos droits de propriété liés à un brevet empêchent quiconque de l'utiliser sans votre autorisation.

Vendre un produit exclusif

Vous pouvez gagner de l'argent en conservant l'exclusivité de votre brevet et en l'utilisant pour vos propres activités commerciales.

Ainsi, vous intégrez votre invention brevetée dans votre produit, qui devient alors unique sur le marché. Lorsque quelqu'un désire avoir la caractéristique apportée par votre invention brevetée, il n'a pas d'autre choix que d'acheter votre produit. Vos compétiteurs ne peuvent intégrer cette invention puisque, grâce à votre brevet, vous avez des droits exclusifs. Vous êtes à même de conquérir une part supplémentaire du marché.

Vous faites alors de l'argent en vendant un produit exclusif.

Recevoir des royautés

Un immeuble peut vous fournir un revenu d'appoint si vous permettez à quelqu'un d'autre de l'utiliser en louant un espace.

Un brevet peut aussi vous rapporter un revenu d'appoint si vous permettez à quelqu'un d'autre de se servir de votre invention, et ce, en signant une entente de licence. Vous percevrez des sommes d'argent (royautés) en contrepartie de votre permission d'utiliser votre invention brevetée.

Cette activité peut rapidement représenter une source de revenus importante. Votre nouveau licencié peut être une entreprise œuvrant dans un marché différent du vôtre ou sur un autre territoire. C'est à vous de décider à quel point vous acceptez de partager votre invention.

Vendre un brevet

Comme pour les autres types d'actifs, vous pouvez vendre votre brevet et recueillir d'importantes sommes d'argent.

Les entreprises évoluent, et leurs besoins changent. Un actif qui était utile autrefois peut s'avérer moins utile maintenant. Vous pouvez alors en disposer.

C'est vrai aussi pour le brevet. Lorsqu'il n'est plus utile, vous pouvez le vendre. Le prix de vente sera le résultat d'un processus de négociations avec votre acheteur potentiel.

Poursuivre un contrefacteur en justice

Faire appel aux tribunaux pour faire valoir vos droits face à quelqu'un qui utilise illégalement votre propriété est un autre moyen de gagner de l'argent avec un brevet.

En fait, cette option consiste à poursuivre un contrefacteur en justice et à exiger une compensation financière pour les dommages subis à cause de la contrefaçon. Si aucune entente n'est négociée, la compensation est déterminée par la cour et peut représenter plusieurs millions de dollars, plus les intérêts et autres pénalités.

Si vous en doutez, sachez qu'il existe un phénomène baptisé *Patent troll* ! Il s'agit d'organisations qui se spécialisent dans l'acquisition de brevets et qui poursuivent les contrefacteurs. Même s'il s'agit d'un phénomène controversé, il n'en demeure pas moins qu'il est légal et qu'il permet à certains de faire des affaires en or.

Mythe

Il n'y a pas d'argent à faire avec un brevet !

Réalité

Non seulement un brevet peut représenter un réel potentiel commercial, mais son propriétaire a différentes options pour en tirer parti. Il peut l'utiliser, le louer ou le vendre, ou encore poursuivre en justice quiconque utilise illégalement son invention brevetée.

L'acquisition d'un équipement de production est normalement considérée comme un investissement qui rapporte. L'acquisition d'un brevet doit aussi être considérée comme un investissement qui rapporte. Voilà notre point de départ.

CHAPITRE 3

Mythe 3 : un brevet,
ça coûte trop cher

Il est vrai que prendre un brevet nécessite de l'argent. Mais la somme nécessaire est-elle trop importante ? Justifie-t-elle le fait d'éliminer de facto la possibilité de demander un brevet ? Lisez ce qui suit avant de prendre une décision sur ce sujet.

Répondez à ces trois questions :

Est-ce qu'une voiture à 50 000 $ coûte trop cher ?

Est-ce qu'un téléphone cellulaire à 150 $ coûte trop cher ?

Est-ce qu'un entrepôt à 150 000 $ coûte trop cher ?

Vous avez probablement répondu : « Cela dépend. » En fait, si l'objet convoité vous rapporte peu ou pas grand-chose, le montant est probablement trop élevé. Si, par contre, il a de bonnes chances de vous rapporter gros, le coût vous semblera probablement très abordable. Tout est donc relatif.

En ce qui concerne le brevet, c'est la même chose. C'est relatif.

Supposons qu'un brevet coûte 50 $. Ce n'est pas très cher, n'est-ce pas ? Imaginons maintenant qu'avec ce brevet, vous tirerez un revenu de 10 $. Vous aurez donc, en fin de compte, un déficit de 40 $. Alors, 50 $, c'est trop cher.

Supposons maintenant qu'un brevet coûte 150 000 $. C'est bien trop cher, pensez-vous. Imaginons qu'avec ce brevet, vous toucherez un revenu de 2 000 000 $. Vous obtiendrez donc un bénéfice de 1 850 000 $. Est-ce que 150 000 $, c'est trop cher ? Poser la question, c'est y répondre.

En fait, un brevet est trop cher payé si son coût dépasse les revenus qu'on en tire. Il n'est alors pas rentable.

Ah oui ! vous voulez savoir combien coûte un brevet ? Et si je vous répondais que cela dépend de différents facteurs et que chaque cas est unique ?

Oui, je sais ! En tant qu'entrepreneur, on reçoit souvent ce genre de réponses, et c'est agaçant. Vous voulez avoir une idée approximative du coût d'un brevet ? Voici quelques données qui vous rassureront. Ensuite, il vous reviendra de déterminer si le brevet est trop cher ou pas.

Le coût d'un brevet

Il y a **2 types de coûts** à prévoir pour votre brevet :

• les taxes ;

• les honoraires professionnels.

Il y a **4 types de taxes** :

• la taxe de dépôt de demande de brevet ;

• la taxe de dépôt de requête d'examen ;

• la taxe de délivrance du brevet ;

• la taxe de maintien du brevet.

Il y a plusieurs types d'honoraires professionnels, dont :

• le travail lié à la rédaction du brevet ;

• le travail lié à la recherche d'antériorité ;

• le travail lié au dépôt, à l'examen, à la délivrance et au maintien du brevet ;

• le travail lié à la traduction (selon les pays sélectionnés).

Vous serez peut-être surpris d'apprendre que, au Canada, on obtient un brevet pour moins de 1 000 $ de taxes. Mieux que cela, les frais se limitent à 500 $ pour une petite entreprise. Cela vous surprend ?

Lorsque vous conservez un brevet jusqu'à son échéance, soit pendant 20 ans, il faut payer les taxes de maintien. Combien pensez-vous avoir à débourser pour entretenir votre brevet pendant ces 20 années ? Moins de 5 000 $ au total. Vous êtes encore surpris ?

Vous trouverez les frais de taxes reliées au dépôt, à la délivrance et à l'entretien d'un brevet au Canada sur le site de l'Office de la propriété intellectuelle du Canada (OPIC). Ils varient selon que vous vous qualifiez comme une petite entité ou une grande entité.

Voici tout de même un petit estimé de ces frais.

Lorsque vous vous qualifiez comme petite entité, évaluez à environ 1 000 $ les taxes liées à la délivrance du brevet, et à environ 2 000 $ son entretien pendant 20 ans. Vous paierez alors un total d'environ 3 000 $.

Lorsque vous vous qualifiez comme une grande entité, évaluez à environ 2 000 $ les taxes liées à la délivrance du brevet, et à environ 4 000 $ son entretien pendant 20 ans. Vous paierez alors un total d'environ 6 000 $.

Bon, voilà pour les bonnes nouvelles. Ne soyez pas trop content, il reste encore les honoraires professionnels à payer.

Vous faites appel à un agent pour vous seconder dans tout le processus de prise et de maintien d'un brevet.

Supposons que vous ne déposez votre brevet qu'au Canada. C'est envisageable si votre marché est uniquement canadien. Prévoyez entre 5 000 $ et 20 000 $ en divers frais d'honoraires professionnels.

Donc, en bref, au Canada, les frais à débourser pour obtenir et maintenir pendant 20 ans un brevet varient normalement entre 10 000 $ et 25 000 $. Bien sûr, vous n'êtes protégé qu'au Canada, ce qui ne représente, pour plusieurs, qu'un tout petit marché. De plus, ce montant ne comprend pas les coûts internes engagés dans le processus. Malgré tout, ces frais sont abordables pour plusieurs, surtout qu'ils sont répartis sur une longue période.

Naturellement, plus on couvre de pays, plus les coûts s'élèvent. Lorsque vous comptez déposer un brevet dans plusieurs pays, envisagez d'utiliser la demande PCT. Les coûts globaux seront moins élevés, et la procédure, grandement simplifiée. Les coûts pour une demande PCT se chiffrent à environ 8 000 $ pour un examen international.

Ces données peuvent varier selon le niveau d'expertise de vos équipes (capacité de réaliser la recherche d'antériorité), selon l'ampleur des complications rencontrées au cours du processus de prise du brevet (ce qui augmente les honoraires professionnels) et selon le nombre de pays à couvrir.

Est-ce que ces coûts sont réellement trop élevés ? Maintenant que vous disposez de certains chiffres, c'est à vous de décider.

Mythe

Un brevet, ça coûte trop cher !

Réalité

Un brevet sera toujours trop cher si aucune rentabilité n'est envisagée. Les taxes sont abordables pour plusieurs, tandis que les honoraires professionnels peuvent varier selon la complexité du dossier, le niveau d'expertise du propriétaire du brevet et le nombre de pays à couvrir.

Mythe 4 : un brevet, c'est toujours copié

Vous êtes de ceux qui croient qu'un brevet est toujours copié? Vous n'avez pas tout à fait tort. Il y a de fortes chances qu'un brevet soit copié à un moment donné.

Cependant, être copié peut être une bonne nouvelle. Je m'explique.

Un problème ou une opportunité d'affaires?

Vous détenez un brevet et vous constatez qu'une entreprise le contrefait. Êtes-vous en face d'un problème ou d'une opportunité d'affaires?

Lorsque quelqu'un contrefait votre brevet, dites-vous que c'est lui qui a un problème, pas vous. Vous, vous avez une opportunité d'affaires. Vous pouvez exiger une somme d'argent de la part du contrefacteur. Parfois, il vous paiera pour les dommages qu'il vous aura occasionnés. D'autres fois, il vous paiera pour régulariser sa situation. D'une façon ou d'une autre, selon la loi, il vous doit de l'argent.

Il n'en tient qu'à vous de tirer parti ou non de cette opportunité d'affaires.

Vous n'êtes pas convaincu ?

Voici quelques bonnes raisons de considérer le fait d'être copié comme une bonne nouvelle.

Être copié est une bonne nouvelle, car cela signifie que quelqu'un d'autre trouve que votre invention est bonne. C'est une sorte de reconnaissance de votre talent d'inventeur.

Même si vous appréciez la reconnaissance, elle rapporte peu et est donc insuffisante. D'ailleurs, plus le contrefacteur est important et réputé, plus sa reconnaissance représente une valeur sur le marché.

Être copié est une bonne nouvelle, car cela veut dire que la personne qui vous copie s'intéresse à votre idée. Même s'il ne le sait pas encore, le contrefacteur risque de devenir votre client. C'est à vous, le propriétaire du brevet, d'approcher cette entreprise et de lui présenter une offre intéressante qui lui permettra de continuer ses activités commerciales tout en régularisant sa situation.

Être copié est une bonne nouvelle même lorsque le contrefacteur est un compétiteur. En copiant votre idée, il s'est mis en position d'illégalité. Vous avez la possibilité d'exiger qu'il retire ses produits en contrefaçon. Il devra alors passer aux pertes les investissements qu'il a faits dans ce produit en contrefaçon (développement, industrialisation, mise en marché, etc).

Être copié est une bonne nouvelle, car cela signifie que quelqu'un s'est mis en position d'illégalité. Vous subissez des préjudices et vous êtes en droit d'exiger un dédommagement devant les tribunaux. Le contrefacteur gagne de l'argent à vos dépens et ne vous donne pas votre dû. Les tribunaux, surtout les tribunaux américains, sont très pointilleux là-dessus. Selon l'ampleur de la contrefaçon, vous avez une opportunité d'affaires qui peut représenter plusieurs millions de dollars.

Tout cela n'est pas gentil, dites-vous ? C'est vrai. Mais la personne qui fait de l'argent grâce à votre invention et qui n'a pas demandé ni obtenu votre permission n'est pas tellement gentille non plus. Alors...

Mythe

Un brevet, c'est toujours copié.

Réalité

Un brevet est souvent et même presque toujours contrefait (ou copié). Le propriétaire du brevet se trouve alors devant une opportunité d'affaires. En cas de contrefaçon, celui qui a un problème, c'est le contrefacteur.

CHAPITRE 5

Mythe 5 : on n'a pas les moyens de défendre un brevet

Il existe un autre mythe qui fait des ravages dans le monde des affaires et selon lequel l'entrepreneur ou l'inventeur n'a pas les moyens de défendre son brevet en cas de contrefaçon.

Contrairement à la croyance populaire, une contrefaçon ne débouche pas automatiquement sur un conflit juridique. Cette option demeure exceptionnelle. Elle est d'ailleurs beaucoup moins populaire qu'une entente à l'amiable.

Cette croyance se fonde en partie sur le fait que le conflit donne habituellement lieu à des histoires époustouflantes impliquant des rebondissements croustillants. Les médias raffolent de ces histoires qui font fréquemment la manchette.

Les contrefaçons qui se soldent par une entente négociée donnent des histoires somme toute banales, qui demeurent plus souvent qu'autrement inconnues du public ; cela, sans considérer le fait que les ententes conclues sont généralement confidentielles.

Il n'en demeure pas moins que, pour toutes sortes de raisons, il est possible que vous ayez un jour à défendre votre brevet jusque devant les tribunaux. Dans un tel cas, aurez-vous les moyens de passer à l'action ?

D'abord, que signifie exactement « avoir les moyens » ? Vous êtes entrepreneur ou inventeur, et vous avez inventé quelque chose que vous avez breveté. Vous avez au moins eu les moyens de réaliser une invention et d'obtenir un brevet. Vous n'êtes donc pas sans ressources. Vous avez un peu de moyens.

La question est maintenant de savoir si vous en avez assez pour défendre vos droits.

J'attire ici votre attention sur la raison principale qui justifie le fait de défendre un brevet. Rappelez-vous qu'en affaires, on ne défend pas ses droits pour une question de principe, mais plutôt pour une question d'argent. Donc, vous défendez votre brevet parce que c'est rentable de le faire.

Il faut déterminer la rentabilité de votre action. Face à une contrefaçon, le propriétaire du brevet met en demeure le contrefacteur et le somme de cesser toute activité associée au brevet. Si le contrefacteur refuse de s'exécuter, le propriétaire du brevet entame des démarches judiciaires afin de faire valoir ses droits. Il réclame des dommages et intérêts liés aux préjudices qu'il subit à cause de l'utilisation illégale de son brevet.

Ces démarches, toutes légitimes soient-elles, occasionnent d'importants déboursés en honoraires professionnels et en frais divers. L'entrepreneur ou l'inventeur a rarement les moyens de soutenir seul de telles dépenses. Que faire ?

D'abord, avant d'entamer une démarche judiciaire, tentez de faire affaire avec le contrefacteur. Approchez-le avec toute la diplomatie que requiert une telle situation. Ne sous-estimez pas votre pouvoir. Votre vis-à-vis, même s'il est important, a un problème. Le défi est de trouver le maximum qu'il est prêt à payer pour régler son problème et le minimum que vous jugez acceptable pour corriger la situation.

Donc, vous faites les premiers pas. Ces démarches s'apparentent aux démarches que l'on entreprend lorsqu'on courtise un nouveau client. Elles sont dans vos cordes d'homme et de femme d'affaires. Ce faisant, vous limitez au minimum les frais et concluez peut-être une entente des plus acceptables.

Qu'arrive-t-il si le contrefacteur résiste et si une entente à l'amiable s'avère impossible ?

Lorsqu'elle prend la voie des tribunaux, la contrefaçon se transforme en une cause à défendre. La vérité est qu'il y a quelqu'un qui fait de l'argent sur votre dos. C'est illégal. Il est tout à fait légitime que vous receviez votre dû.

La clé se situe dans la valeur financière que représente la contrefaçon. Plus celle-ci est importante, plus elle vaut cher. Estimez combien votre cause peut vous rapporter et combien elle peut vous coûter. Si la contrefaçon semble rentable, vous avez un as dans votre jeu. À vous de jouer.

En obtenant un brevet, vous vous êtes allié au puissant pouvoir de la justice. Les gouvernements vous ont octroyé la propriété d'une invention. Ce droit est aussi important que votre droit en propriété immobilière. La structure judiciaire est là pour que vous puissiez faire respecter ce droit lorsqu'il est bafoué. Sans être parfait, le système judiciaire mérite encore notre confiance. On doit l'utiliser lorsqu'on en a besoin. Ayez confiance : si votre cause est juste, vous devriez être en mesure de faire valoir vos droits.

J'entends déjà votre objection : « La justice, ça coûte cher, et je n'ai pas les moyens de poursuivre. » Comme pour tout projet d'affaires, avant de gagner de l'argent, il faut d'abord investir. Il est vrai que le processus judiciaire est coûteux, mais ce n'est peut-être pas si grave. D'abord, vous avez peut-être les moyens d'investir grâce à vos propres capitaux. C'est à vous de décider d'investir ou non dans cette occasion. Ensuite, si vous n'avez pas les moyens de défendre votre cause, sachez qu'un autre l'aura pour vous ! Partez à la recherche d'un partenaire qui a les moyens que vous n'avez pas.

Dans le monde des affaires, il y a toujours quelqu'un qui cherche à réaliser un bon investissement. Si votre cause est juste et si elle est rentable, considérez-vous comme un bon investissement. Si l'investisseur y voit une bonne opportunité d'affaires, il sera intéressé.

Bien sûr, vous devrez alors partager les recettes. Il reste que, avec ce partenaire, vous vous donnez les moyens d'investir dans votre opportunité d'affaires.

Mythe

Un entrepreneur n'a pas toujours les moyens de défendre son brevet.

Réalité

Une contrefaçon doit être vue comme une opportunité d'affaires dont le propriétaire du brevet tente de tirer parti. Les coûts liés aux démarches d'approche et de négociation demeurent abordables.

Lorsque l'occasion d'affaires se transforme en litige, le propriétaire du brevet décide d'investir ou non. Lorsque ses moyens sont insuffisants, mais que la contrefaçon semble rentable, et la cause, solide, il peut trouver un partenaire stratégique qui, lui, dispose des ressources nécessaires.

SECTION

Comment faire de l'argent
avec un brevet ?

CHAPITRE 6

Avec ou sans brevet : la différence

Gouvernements, intervenants, conseillers, financiers, tous s'entendent pour dire que l'enrichissement de l'entrepreneur passe par l'innovation.

Ce qu'ils ne disent pas souvent, c'est que l'on s'enrichit beaucoup plus lorsque l'innovation est protégée par un brevet. Vous êtes sceptique ? Voici une petite démonstration qui devrait vous convaincre.

Faire de l'argent avec une innovation non brevetée

La rentabilité des activités d'une entreprise est le facteur clé de l'enrichissement de l'entrepreneur. Les activités doivent générer du profit. Sans innovation, le profit diminue avec le temps.

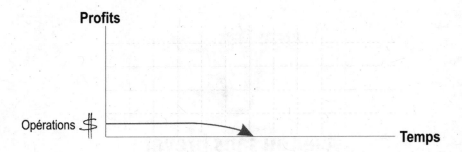

Grâce à l'innovation, l'entrepreneur se dote d'avantages stratégiques qui lui permettent de maintenir ou d'augmenter sa rentabilité.

Il innove soit en améliorant ses processus, soit en développant de nouveaux produits.

L'amélioration des processus

Lorsqu'il innove dans ses processus, il améliore la productivité de son organisation. Il diminue, par exemple, ses coûts de production. Cette réduction lui donne une marge de manœuvre financière dont il peut se servir de **2 façons**:

- il vend ses produits au même prix et augmente ainsi ses profits;

- il diminue son prix de vente; il devient plus compétitif sur le marché et accroît ses ventes. Il augmente ainsi ses profits.

Ces nouveaux profits s'ajoutent au profit de l'entreprise.

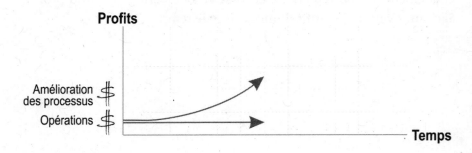

Le développement de nouveaux produits

Lorsqu'il développe un nouveau produit qui répond mieux aux besoins du marché, l'entrepreneur améliore son offre à sa clientèle. Il augmente sa rentabilité de **2 façons** :

- il offre son nouveau produit en réalisant une marge de profits supérieure à celle de ses produits standards. Il augmente ainsi ses profits ;

- il offre son nouveau produit en réalisant la marge de profits habituelle. Puisque son produit est innovateur et qu'il répond mieux aux besoins du marché, il fait plus de ventes. Il augmente donc ses profits.

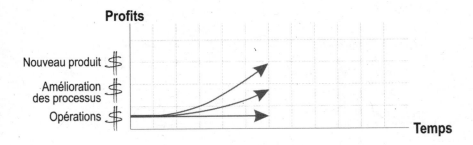

L'arrivée de la compétition

Face à la performance d'une PME innovatrice, la compétition ne restera pas sans réponse. Que ce soit en innovant ou en copiant, elle offrira tôt ou tard la même chose.

L'effet de l'avantage stratégique de l'innovation non protégée diminue dès l'arrivée de la compétition. L'entrepreneur réagit alors pour contrer les effets de cette arrivée.

Il diminue son prix de vente. Sa rentabilité diminue jusqu'à la disparition complète des profits liés à l'innovation.

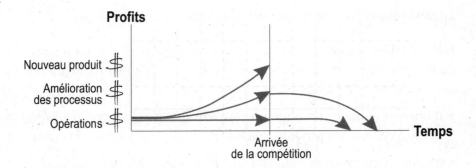

Il perd la part de marché conquise grâce au nouveau produit. Ses ventes diminuent et, par le fait même, ses profits liés au nouveau produit décroissent aussi.

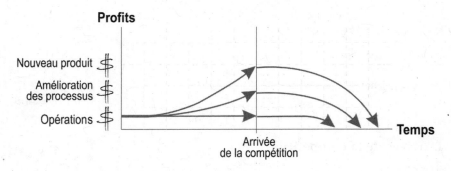

L'innovation est sans contredit payante. Mais l'entrepreneur doit se renouveler constamment et rapidement. Il doit toujours devancer l'inévitable arrivée de la compétition, s'il ne veut pas voir disparaître ses profits liés à l'innovation.

En conclusion, l'innovation est payante, mais seulement pour une courte période de temps : le temps de rentabiliser vos investissements et d'en prévoir de nouveaux pour l'innovation qui prendra la relève.

Faire de l'argent avec une innovation brevetée

Dans sa course à l'innovation, l'entrepreneur aurait avantage à voir s'allonger le temps durant lequel son innovation est payante.

En fait, la prise d'un brevet retarde de plusieurs années le déclin des profits liés à l'innovation. Lorsque cette dernière est protégée par un brevet, elle conserve sa valeur malgré l'arrivée de la compétition. Il se peut même qu'elle acquière de la valeur avec l'arrivée de la compétition. Vous en doutez ? Lisez ce qui suit.

Constatant que vous faites de l'argent grâce à un élément distinctif qu'apporte votre innovation brevetée, le compétiteur est intéressé par cette innovation. Si celle-ci n'est pas protégée, il peut tout simplement la copier. Vous voyez alors fondre vos profits.

Par contre, lorsque l'innovation est brevetée, le compétiteur n'a pas le droit de l'utiliser sans votre autorisation. Il doit s'entendre avec vous. Vous êtes en face d'une opportunité d'affaires.

Vous avez le choix :

Premièrement, vous conservez votre exclusivité et empêchez la compétition d'offrir l'équivalent sur le marché. Vous protégez votre part de marché et continuez d'amasser de l'argent jusqu'au terme de la validité du brevet ou jusqu'au déclin du marché lui-même.

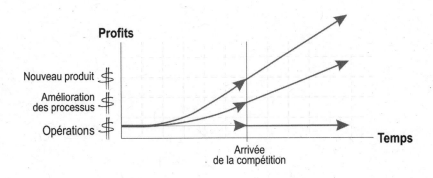

Deuxièmement, vous partagez votre exclusivité en offrant des licences. Vous continuez à vendre vos produits à profit, et vous ajoutez de nouveaux revenus de royautés. Résultat : au lieu de voir vos profits liés à l'innovation fondre comme neige au soleil, vous les voyez augmenter grâce à l'arrivée des compétiteurs.

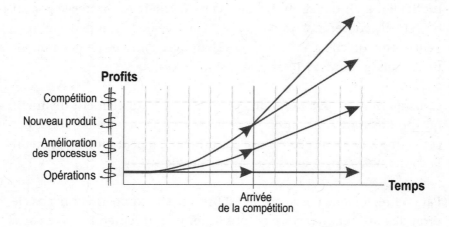

Les profits liés à l'innovation brevetée peuvent représenter plusieurs millions de dollars. Le brevet permet de tirer parti du commerce que d'autres peuvent faire en se servant de l'innovation. Résultat : l'entrepreneur recueille la juste valeur de son talent d'inventeur ou d'innovateur.

Bref, c'est vrai qu'innover, c'est payant. Mais breveter son innovation, c'est encore plus payant.

Faire de l'argent avec un brevet en 4 volets

Faire de l'argent avec un produit exclusif

Vous avez inventé un procédé quelconque que vous avez breveté. Bravo! Que faire alors? Puisque vous avez un brevet, vous conservez l'exclusivité de l'innovation couverte. Si l'innovation a des qualités que recherchent des acheteurs potentiels et si ceux-ci sont prêts à payer pour ces qualités, BINGO! Vous êtes en affaires.

Vous décidez de conserver l'exclusivité de votre invention et de l'intégrer dans votre propre produit. Un nouveau produit voit le jour et, ce qui est génial, c'est que vous êtes le seul à pouvoir l'offrir. Vous lancez sur le marché quelque chose d'unique.

Lorsque votre innovation est exclusive, vous avez un avantage commercial stratégique. Bien sûr, vous devez vous servir de cet avantage pour mettre en valeur votre produit face aux produits concurrentiels.

Vous utilisez votre exclusivité pour consolider vos ventes, vendre davantage à vos clients, dans de nouveaux secteurs d'activités et, pourquoi pas, sur de nouveaux territoires.

Consolider les ventes

Lorsque vous avez un brevet, vous officialisez votre force technologique. Un client est rassuré de constater que vous avez une telle force d'innovation. Il se sent entre bonnes mains. Il est alors réconforté d'acheter chez vous.

Il est difficile de quantifier la valeur de cette consolidation. Elle demeure pourtant très réelle et peut favoriser de façon considérable la croissance de votre entreprise et même sa survie.

Augmenter les ventes auprès des clients réguliers

Vous avez déjà des clients. Vous offrez plusieurs produits, dont celui qui est couvert par votre brevet. Un de vos clients, qui achetait régulièrement un autre produit que celui qui est couvert par votre brevet, trouve un avantage à votre innovation et achète votre nouveau produit exclusif, en plus des autres produits qu'il se procurait déjà.

Conquérir de nouveaux clients

Une entreprise que vous courtisez depuis longtemps hésitait à s'approvisionner chez vous pour une raison quelconque. Maintenant que vous avez lancé votre produit unique, il est temps que vous passiez à l'attaque. Si elle s'intéresse à votre exclusivité, elle pourrait vite devenir votre client. Elle ne pourra se tourner vers vos compétiteurs, puisque vous serez le seul à offrir le produit convoité.

Conquérir de nouveaux secteurs d'activités

Vous êtes spécialisé dans le transport. L'innovation que vous avez brevetée vous permet de proposer un nouveau produit exclusif qui répond à un besoin de l'industrie agroalimentaire. C'est le moment de foncer. Votre exclusivité vous donne un avantage commercial stratégique. Utilisez-le pour bien vous positionner dans le nouveau secteur d'activité.

Puisque vous disposez d'une exclusivité, vous serez non seulement accueilli favorablement par les clients, mais aussi difficile à déloger. Cet avantage peut dépasser la durée de vie de votre brevet, puisque vous aurez eu le temps de vous positionner sur le marché.

Conquérir de nouveaux territoires

Vous avez protégé votre innovation dans plusieurs pays. Or, vous envisagez depuis longtemps de vendre vos produits sur le marché international. Saisissez votre chance. Utilisez votre produit unique pour conquérir de nouveaux territoires. Les portes de bons agents ou distributeurs seront plus faciles à ouvrir. Leurs exigences seront plus humbles lorsque vous arriverez avec un produit unique répondant à un besoin du marché. Ne vous contentez pas d'offrir votre exclusivité : proposez aussi vos autres produits, qui peuvent trouver preneur sur ces nouveaux territoires.

Il existe très certainement d'autres façons d'utiliser commercialement l'unicité d'un produit intégrant une innovation brevetée. Je vous fais confiance pour les trouver ou encore les inventer.

Faire de l'argent avec des licences

Vous avez inventé un nouveau mécanisme, que vous avez breveté, et vous vendez un produit unique couvert par le brevet. Les affaires vont bien, et votre entreprise connaît une croissance importante. Vos clients achètent davantage, et de nouveaux clients s'ajoutent aux anciens. Naturellement, vous êtes heureux de la situation, mais vous commencez à vous essouffler. Toutes vos ressources sont occupées à absorber cette croissance.

En même temps, vous sentez que, par manque de ressources, vous perdez des ventes, et que votre produit trouverait preneur dans d'autres secteurs d'activités. Et vous n'osez même pas penser que vous êtes en train de rater l'occasion de vous lancer sur le marché international ! Avec une telle pression, pensez-vous tenir le coup longtemps ?

Malgré toute votre bonne volonté, vous êtes en train de passer à côté de nombreuses opportunités d'affaires que le brevet vous donne.

Le premier réflexe de l'entrepreneur est de conserver l'exclusivité de son brevet, et de lancer un produit révolutionnaire et unique sur le marché. Il y voit une façon de gagner beaucoup d'argent. Il n'a pas tort.

Vendre partout dans le monde un produit exclusif ne manque pas d'attrait. Voyons comment cela se présente.

Admettons qu'un entrepreneur vend annuellement pour 500 000 $ d'un produit. En intégrant son innovation brevetée dans son produit, il prévoit doubler ses ventes et atteindre 1 000 000 $ par an. Il prévoit ensuite cibler de nouveaux secteurs d'activités et augmenter ainsi ses ventes annuelles, jusqu'à atteindre 10 000 000 $. Enfin, il compte s'attaquer à de nouveaux territoires et multiplier ses ventes pour atteindre 100 000 000 $ par an.

En résumé, notre entrepreneur prévoit faire passer ses ventes annuelles de 500 000 $ à 100 000 000 $. Avouez que ça ne manque pas d'attrait.

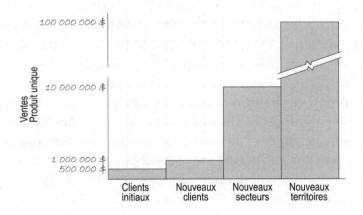

Il analyse ensuite les profits anticipés. Il applique les 15 % standard de l'industrie.

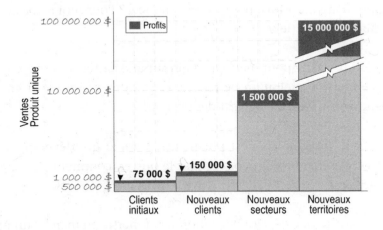

L'entrepreneur voit déjà son profit annuel passer de 75 000 $ à 15 000 000 $. Qui ne serait pas tenté par de telles prévisions ?

Ce que notre entrepreneur oublie, c'est que, pour atteindre ces sommets, des ressources et des investissements importants sont nécessaires. Il doit adapter le produit aux exigences des nouveaux secteurs d'activités et territoires, ce qui demande déjà des centaines de milliers de dollars. Il doit aussi investir dans la mise en marché. Il faut donc ajouter quelques millions de dollars. Il doit, en outre, réorganiser ses équipes de travail et les processus de son entreprise, qui vit une forte croissance.

Selon son profil, sa situation financière et ses ressources, l'entrepreneur peut ou ne peut pas se lancer dans une telle aventure. Il peut décider de limiter ses efforts et de vendre davantage à ses clients habituels ou d'ajouter quelques acheteurs à sa liste existante. Ou encore, il peut viser le marché international par lui-même. C'est une question de choix auquel il doit faire face. C'est lui qui décide.

Lorsque l'entrepreneur accepte le fait qu'il ne peut pas couvrir tous les marchés potentiels, il a souvent le réflexe malheureux de se passer des revenus qui y sont associés. Pourtant, ce potentiel peut représenter beaucoup d'argent. Alors, pourquoi y renoncer ? Pourquoi ne pas y accéder au moins partiellement ?

Comment procéder pour mettre la main sur une partie de ces revenus ? En permettant à quelqu'un de réaliser ces ventes à sa place ! L'entrepreneur peut le faire en signant des licences.

Dans ce cas, puisque ce n'est plus l'entrepreneur qui développe, fabrique ou vend le produit couvert par le brevet, comment gagnera-t-il de l'argent ?

Plusieurs savent que développer, fabriquer et mettre en marché un produit, aussi innovateur soit-il, nécessite un processus complexe, coûteux et risqué. Il faut :

• développer le produit ;

- l'industrialiser ;

- fabriquer des unités et les mettre en inventaire ;

- le mettre en marché ;

- le vendre ;

- le livrer ;

- soutenir le client et la garantie du produit.

Lorsque le profit est de 15 %, la balance (soit 85 %) est dédiée aux coûts. C'est souvent cette somme que l'entrepreneur a de la difficulté à assumer financièrement, surtout qu'il débourse d'abord et encaisse plus tard.

Selon notre exemple, la répartition des coûts se présente comme suit :

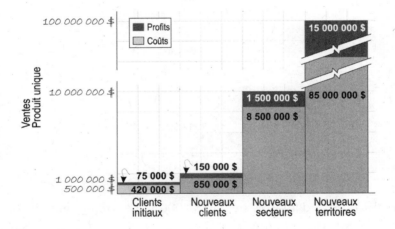

Pour recueillir les fameux 15 000 000 $ de profits annuels, il faut débourser 85 000 000 $. C'est beaucoup d'argent.

Commercialiser une licence est souvent plus simple et plus abordable. Le développement du produit, son industrialisation, sa fabrication et sa livraison ne sont plus nécessaires. L'entrepreneur se limite à mettre en marché son innovation, à gérer ses licences, à soutenir et à contrôler ses licenciés.

L'équipe requise pour la réalisation de ces tâches demeure limitée, et les coûts sont plus faciles à contrôler. C'est donc une avenue intéressante pour l'entrepreneur qui a des ressources limitées.

Mais est-ce vraiment payant ? Du moins, est-ce aussi payant que d'offrir un produit unique ?

Supposons que notre entrepreneur conserve son marché naturel. Ses revenus, ses coûts et ses profits se lisent comme suit :

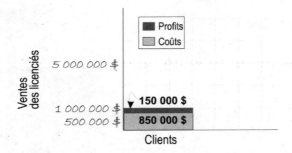

Pour un chiffre d'affaires de 1 000 000 $, l'entrepreneur débourse 850 000 $ et retire un profit de 150 000 $.

Supposons maintenant que cet entrepreneur signe des licences pour les nouveaux secteurs d'activités et territoires. Il demande un taux de royautés de 5 % des ventes réalisées par les licenciés. Les ventes annuelles prévues sont de 100 000 000 $. À 5 % de royautés, l'entrepreneur prévoit un revenu annuel de 5 000 000 $ en royautés.

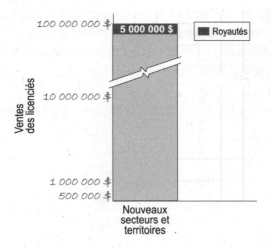

Supposons que les coûts liés à la gestion de licences sont de 20 % des revenus (au lieu des 85 % liés à la vente d'un produit) et que les profits sont de 80 % des revenus (au lieu des 15 % en ventes du produit) pour un revenu en royautés de 5 000 000 $; les coûts sont de 1 000 000 $, et les profits, de 4 000 000 $.

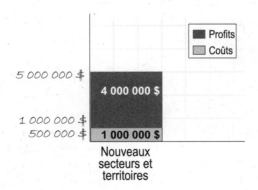

Ce n'est peut-être pas les 15 millions de dollars escomptés initialement, mais c'est mieux que rien. Surtout lorsque l'on tient compte de l'effort investi dans le projet.

Naturellement, les prévisions et les pourcentages varient d'un cas à l'autre. Mon but est de montrer que les revenus de licences sont principalement composés de profits et que l'investissement de départ demeure abordable pour plusieurs entrepreneurs.

À vous de décider maintenant si cette aventure vous intéresse ou non.

Faire de l'argent en vendant son brevet

Pour gagner de l'argent avec un brevet, la vente de celui-ci peut s'avérer une solution intéressante. Vous pouvez disposer de votre brevet de la même façon que vous pouvez disposer de l'un de vos équipements ou encore de votre immeuble. Plusieurs raisons motivent la décision de vendre un brevet.

Un changement de secteur d'activité

Vous êtes en affaires et, pour une raison quelconque, vous décidez de changer de secteur d'activité. Votre produit couvert par un brevet n'est plus utile dans le nouveau secteur choisi. Que faites-vous de votre produit et surtout de votre brevet ? Allez-vous considérer ce dernier comme inutile et cesser de payer ces taxes ? C'est peut-être une solution. Mais il est dommage de mettre au rancart un actif qui peut encore avoir de la valeur sur le marché. Quelqu'un d'autre pourrait le trouver utile.

Votre produit, et surtout votre brevet, peut représenter pour une entreprise un puissant outil de développement ou de pénétration de marché. Cette entreprise est une acheteuse potentielle.

Établissez un petit plan de mise en vente de cet actif et vendez-le au plus offrant. Vous serez probablement surpris de la valeur que vous en retirerez.

Le brevet est inutile pour vous

Vous avez acquis, pour une raison quelconque (achat d'une entreprise, transfert technologique, etc.), un brevet. Ce dernier n'a pas d'applications dans votre produit. Vous avez exploré le domaine de la licence et vous constatez que le *licensing* n'est pas votre truc. Que faites-vous du brevet en question ? Le jetez-vous à la poubelle ?

Le fait qu'il n'ait pas d'applications dans votre produit ne signifie nullement qu'il ne s'applique à aucun produit.

Faites un petit exercice pour déterminer les secteurs ou les types de produits dans lesquels votre brevet pourrait être utile. Déterminez ensuite les entreprises œuvrant dans ces domaines. Préparez un plan de vente de votre brevet destiné à ces acheteurs potentiels et vendez au plus offrant. Votre actif sans aucune valeur apparente vous permettra peut-être de financer un de vos projets. Le jeu en vaut peut-être la chandelle.

Manque de ressources

Vous êtes un inventeur occasionnel et vous avez mis au point un produit innovateur. Vous êtes convaincu qu'il a un gros marché et vous avez obtenu un brevet. Malheureusement, malgré votre recherche de sources de financement, vous n'avez plus d'argent pour lancer le fameux produit. Allez-vous laisser tomber ?

Avant d'abandonner, faites l'exercice de cerner les entreprises sérieuses qui auraient avantage à intégrer ce produit unique dans leur gamme. Préparez un petit plan de vente de votre produit breveté et vendez au plus offrant. Vous serez peut-être surpris de la somme d'argent que vous retirerez grâce à votre talent d'innovateur. Allez-y, ça ne coûte pas cher d'essayer. Par contre, il vous faudra faire preuve d'un peu d'audace et de courage, deux qualités « gratuites ».

Une offre intéressante

Vous innovez depuis quelques années. Vous prenez des brevets et vous êtes rentable. Sans crier gare, on vous offre d'acheter un de vos brevets.

Que faites-vous ? Refusez-vous parce que votre produit est couvert par le brevet en question ? Ou parce que vous êtes sentimentalement attaché à votre invention ? En toute légitimité, vous pouvez refuser toute offre. Cependant, avant de dire non, évaluez la situation et voyez si la vente potentielle constitue une solution intéressante.

Le choix peut être facile, surtout si le brevet ne vous sert pas. Dans ce cas, vous devriez être ouvert à sa vente. L'exercice est plus délicat si vos affaires sont bonnes et si votre produit vedette est couvert par le brevet. Un petit conseil, toutefois : ne dites pas non tout de suite.

Faites l'exercice d'estimer les profits que vous anticipez durant la durée de vie de votre brevet dans le contexte de votre entreprise. Si l'offre s'approche de ce montant, il est sage d'envisager la vente.

Si l'offre est intéressante, mais que vous désirez poursuivre vos activités, négociez alors une licence avec celui qui désire acheter votre brevet. Vous pourrez ainsi poursuivre vos activités commerciales dans les limites de cette licence. Vous aurez alors le meilleur des deux mondes.

Si l'acheteur est beaucoup plus gros que vous, attendez-vous à ce qu'il puisse prendre un autre chemin pour atteindre son but. Donc, avant de dire non, réfléchissez bien aux conséquences.

Bref, en ce qui concerne la vente d'un brevet, vous pouvez créer une occasion favorable en cherchant un acheteur potentiel ou encore profiter d'une occasion qui se présente. D'une façon ou d'une autre, faites en sorte de toujours sortir gagnant de la transaction.

ATTENTION!

La vente est un domaine spécialisé. La vente d'un brevet l'est encore plus. C'est un domaine qui est méconnu. Il n'y a donc que peu de gens qui s'y connaissent vraiment. Faute de spécialistes dans le domaine, lorsque vous vendez un brevet, adjoignez-vous un bon vendeur. Choisissez quelqu'un d'innovateur. Il faut encore innover dans ce domaine afin de profiter au maximum de votre transaction. Cependant, conservez le leadership. Et n'oubliez pas que les conseillers, eux, sont souvent payés, que la transaction soit bonne ou mauvaise pour vous.

Faire de l'argent avec une contrefaçon

Un brevet garantit l'exclusivité d'une innovation. Son propriétaire est en droit de poursuivre quiconque l'utilise sans son autorisation.

La vérité est que le litige juridique implique des démarches onéreuses, qu'il monopolise d'importantes ressources de l'entreprise et exige de l'entrepreneur du temps dont il ne dispose souvent pas. De plus, tous ces efforts sont faits dans le but de recevoir un verdict final favorable. Verdict qui, disons-le, demeure toujours incertain.

Les conséquences d'un verdict de culpabilité du contrefacteur peuvent être énormes. Celui-ci peut se voir imposer de payer des frais importants en dommages et intérêts. Aux États-Unis, par exemple, la cour impose des indemnités qui peuvent aller jusqu'à trois fois les préjudices subis. Cette réalité fait peur à la plupart des entreprises. Résultat : grands et petits tenteront d'éviter cette catastrophe. Le moyen privilégié de faire de l'argent grâce à une contrefaçon demeure l'entente négociée.

La peur d'être poursuivi ressentie par le contrefacteur et le droit de poursuivre tout contrefacteur dont bénéficie le propriétaire du brevet sont au cœur de la stratégie à adopter lorsqu'on veut faire des affaires en tirant profit d'une contrefaçon.

Lorsque vous faites face à une contrefaçon de votre brevet, dites-vous que le contrefacteur peut être de bonne foi. Je dirais même qu'il ignore souvent qu'il est en faute. Donnez-lui le bénéfice du doute sans toutefois oublier que ne pas savoir ne donne pas le droit de contrefaire un brevet.

Le contrefacteur tente normalement d'éviter le conflit juridique et préfère être en règle plutôt que dans l'illégalité. Voilà de bonnes raisons de penser qu'il est prêt à traiter avec le propriétaire du brevet.

Avant d'en arriver à un conflit juridique, tentez de négocier une entente. Cela dit, gardez en tête que, pour toutes sortes de raisons, le conflit juridique est parfois inévitable.

La bataille de la contrefaçon, étape par étape

Vous avez un brevet qui fait la fierté de votre équipe. Or, vous découvrez qu'une entreprise offre un produit qui contrefait votre brevet. Comment réagissez-vous ?

Vous vous insurgez ! Vous appelez votre avocat ! Vous vous dites que vous le saviez : un brevet, ça ne sert à rien !

Bien sûr que non ! Souvenez-vous qu'« être contrefait », c'est une bonne nouvelle. C'est le contrefacteur qui a un problème. Quant à vous, vous faites face à une bonne opportunité d'affaires. Tout se situe dans l'approche à adopter. C'est à vous de jouer votre carte de propriétaire de brevet.

À quoi doit-on s'attendre lorsqu'on est entrepreneur et que notre brevet est contrefait ? Dans vos démarches de poursuite en contrefaçon, vous devez franchir quelques étapes essentielles.

Étape 1 : La validation de la contrefaçon

Avant de porter un jugement définitif sur la contrefaçon et surtout avant d'entreprendre des démarches officielles, assurez-vous que le produit constitue effectivement une contrefaçon. Il le sera dans la mesure où il est bel et bien couvert par les termes du brevet.

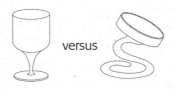

Faites-vous seconder par les experts qui ont participé à la rédaction de votre brevet et de ses revendications.

Étape 2 : La mise en demeure

Lorsque la contrefaçon est confirmée, n'hésitez pas : avisez le contre-facteur de sa situation d'illégalité et mettez-le en demeure de la régulariser immédiatement. Cette étape est économique et peut se faire très rapidement.

Faites-vous seconder par votre conseiller juridique afin de bien choisir les mots de votre mise en demeure. Il vous aidera à ne pas commettre d'impair qui pourrait nuire à vos démarches subséquentes.

Que ce soit pour des raisons stratégiques, organisationnelles, de compétence ou de négligence, ou pour d'autres raisons nébuleuses, attendez-vous à un certain délai entre le moment de l'envoi de votre mise en demeure et la réponse du contrefacteur. Persévérez et préparez-vous à faire quelques rappels, ce qui signifie une attente de quelques semaines, voire parfois de quelques mois, avant de passer à la prochaine étape.

Étape 3 : L'étude du contrefacteur

Vous êtes en attente, mais vous n'êtes pas inactif. Profitez de cette période pour étudier votre contrefacteur. Évaluez l'ampleur de la contrefaçon. Estimez le nombre d'unités touchées et la valeur allouée à l'innovation. Ces informations vous seront utiles pour déterminer vos exigences.

Voyez ensuite à qui vous avez affaire. Déterminez ses forces, ses faiblesses, l'ampleur de ses ressources, ses antécédents en propriété intellectuelle, etc. Déterminez aussi l'importance que le produit contrefait détient au sein de cette entreprise, les solutions possibles, les autres intervenants impliqués dans la contrefaçon... Accumulez tous les renseignements potentiellement utiles à la négociation à venir.

Étape 4 : Le face-à-face

Un jour ou l'autre, vous vous retrouvez en face du contrefacteur. Montrez-lui où se situe la contrefaçon et assurez-lui que vous ne tolérerez pas la situation.

Même si votre dossier est solide, attendez-vous à une réticence de la part du contrefacteur, et même au déni. Il se peut que plus d'une rencontre soit nécessaire. Faites ces rencontres, mais attention! lorsque tout est dit, cessez d'argumenter et passez à l'étape suivante.

Étape 5 : La clarification de vos exigences

La balle est dans votre camp. Faites connaître vos exigences au contrefacteur. Exprimez celles-ci le plus précisément possible. Assurez-vous
qu'elles correspondent parfaitement à vos objectifs d'affaires. Elles doivent être raisonnables et défendables.

Présentez au contrefacteur les conditions d'une entente qui lui permettra de poursuivre ses activités légalement en contrepartie de com-
pensations financières ou autres exigences.

Étape 6 : La négociation

Vous voilà en pleine négociation. Le contrefacteur étudie votre offre.
Les scénarios possibles sont innombrables. Ils sont aussi abondants que
pour tout autre type de négociation. Comme à une partie d'échecs,
vous avez prévu quelques coups d'avance et attendez la réaction de
votre adversaire avant de réagir. Quelle que soit la tournure que prend
la négociation, ne perdez jamais de vue votre objectif, qui est d'arriver
à une entente négociée.

Cela dit, vous demeurez conscient de votre droit de poursuivre le contrefacteur. Vous lui faites savoir que vous privilégiez une entente négociée, mais que vous avez l'intention de recourir aux tribunaux s'il le faut.

Le carrefour

À un moment donné, les négociations doivent aboutir. Deux solutions sont possibles : une entente signée ou un conflit juridique.

Une entente est signée

C'est ici, normalement, que vous récoltez le fruit de vos efforts. Vous signez une entente payante avec votre contrefacteur. Vous poursuivez vos activités en gagnant plus d'argent, et votre contrefacteur a régularisé sa situation.

Un conflit juridique s'amorce

Exceptionnellement, les négociations débouchent sur une impasse. Tout a été dit et redit. Tout a été tenté, et aucun compromis n'a été trouvé. Il faut alors franchir une difficile étape : faire appel aux tribunaux.

Étape 7 : La poursuite en justice

Malgré la bonne volonté manifestée par les deux parties, malgré la peur de chacun de perdre devant les tribunaux, malgré le temps et l'argent qu'un conflit juridique représente, vous n'êtes pas parvenus à vous entendre. Vous devez vous en remettre au tribunal, qui tranchera la question.

Cette décision ne se prend pas d'un coup. Vous avez vu venir les choses. Vous avez tout essayé pour éviter cette situation ; en même temps, vous vous êtes préparé à cette éventualité. Vous êtes prêt. Votre cause est juste et peut être payante. Vous avez monté votre équipe d'avocats, de conseillers et d'experts. Vous vous engagez dans une nouvelle aventure.

La grande différence pour l'entrepreneur, c'est qu'il n'est désormais plus le maître d'œuvre. Les avocats, les conseillers et les experts prennent la relève. Souvent, les risques financiers sont partagés avec ces experts. Votre rôle est donc de les aider à gagner cette cause.

Étape 8 : Le verdict

Une cause portée en cour peut prendre des années. Alors, en plus de connaissances, de compétences et d'argent, armez-vous de patience. Petit conseil : ne consacrez pas toutes vos ressources à une seule cause, c'est trop risqué. N'oubliez jamais que, même si celle-ci est juste et fondée, le verdict demeure incertain.

Les étapes en bref

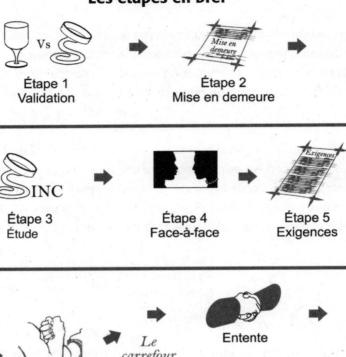

Étape 1
Validation

Étape 2
Mise en demeure

Étape 3
Étude

Étape 4
Face-à-face

Étape 5
Exigences

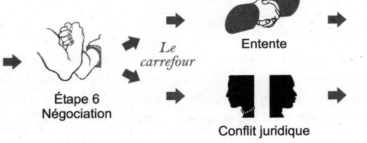

Étape 6
Négociation

Le carrefour

Entente

Conflit juridique

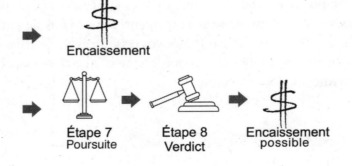

Encaissement

Étape 7
Poursuite

Étape 8
Verdict

Encaissement
possible

CHAPITRE 8

Donner une valeur financière à son brevet

Je me souviens de mes débuts dans la négociation de licences. Comme j'en étais à mes premières armes dans le domaine, je me suis fait seconder par un expert. Le manufacturier avec qui je négociais m'a fait une première offre, qui correspondait à une royauté d'environ 2,5 % du coût de fabrication du produit. Mon conseiller m'a précisé que ce n'était pas si mal et que nous devrions pouvoir obtenir 5 %. Selon lui, le maximum de royauté qu'on pouvait espérer dans cette industrie se situait à moins de 10 %. Pourtant, je n'étais pas satisfaite de ce pourcentage. Consciente des avantages (opérationnels et financiers) de notre innovation et des faiblesses des choix possibles sur le marché, je ne pouvais me résoudre à recevoir aussi peu. Il y avait contradiction entre mon instinct, les pourcentages conseillés et les sommes d'argent en jeu. J'ai alors fait davantage confiance à mon instinct et j'ai demandé un niveau de royautés qui dépassait le coût de fabrication. J'étais hors normes, et mon expert était des plus mal à l'aise. Contre toute attente, j'ai réussi à obtenir un taux de royautés équivalent à près de 65 % du coût de fabrication.

Comment monnayer un brevet?

L'évaluation d'un brevet constitue un domaine peu connu et encore jeune. Considérez votre présente lecture comme le déclencheur d'une réflexion plus poussée. Je vous invite à vous inspirer des méthodes proposées, mais à ne pas vous y limiter. N'hésitez pas à explorer de nouvelles voies et à suivre la méthode qui vous convient le mieux.

Je considère qu'il va de soi que vous «sentez» instinctivement la valeur de votre innovation. Ce qu'il faut maintenant, c'est chiffrer cet instinct. Vous n'avez pas d'autre choix, car vous devez convaincre vos collaborateurs, vos partenaires financiers, vos clients, vos consultants, vos employés, etc., que votre brevet vaut quelque chose. Pour être convaincant, vous devez dépasser les phrases comme «on va faire fortune avec cela!» ou «tout le monde en voudra!» ou «c'est une idée géniale!».

L'évaluation d'un brevet requiert de la rigueur, du temps et des ressources. Plusieurs entrepreneurs préfèrent demeurer dans l'action plutôt que de consacrer des heures au calcul de l'évaluation d'un brevet. Je les comprends. Cela dit, il est essentiel qu'ils aient une idée de la valeur de leur actif.

Une bonne évaluation de votre brevet vous aidera à financer vos projets. Votre financier, toujours à la recherche de garanties de son investissement, risque de considérer l'ensemble de vos actifs, incluant vos actifs virtuels (dont le brevet), comme une garantie.

La valeur de votre brevet détermine aussi la valeur de votre entreprise, et cela prend toute son importance au moment où vous vendez celle-ci. Si valeur de votre brevet est élevée, vous serez mieux outillé pour argumenter et négocier de meilleures conditions de vente.

Lorsque votre interlocuteur n'adhère pas à votre argumentation et qu'il ne la considère pas dans son calcul, retirez votre brevet de la transaction et cherchez un acquéreur avisé qui reconnaîtra sa valeur et qui sera heureux de vous payer ce qu'il vaut.

> *ATTENTION !*
>
> *Les choix que vous faites dans l'évaluation de votre brevet touchent l'image de vos états financiers et ont probablement une incidence fiscale. Faites attention que le fisc ne considère pas la valeur de votre brevet comme un revenu imposable. Vous adjoindre un fiscaliste afin de minimiser l'incidence fiscale de vos décisions est tout indiqué.*
>
> *Même si votre brevet est un actif dit intangible et que la majorité des banquiers ne lui attribuent que peu de valeur, restez convaincu de son importance financière. C'est à vous, son propriétaire, de le faire valoir. Armez-vous de bons arguments et défendez-vous.*

Une méthode d'évaluation rapide

Je n'ai pas la prétention d'être une experte en évaluation de brevets mais, au fil des ans, j'ai eu à déterminer le prix de vente de nos produits couverts par des brevets. J'ai négocié des taux de licences en tant que licenciée et pour les licences que j'offrais. J'ai défendu la valeur de nos brevets auprès de nos financiers. J'ai évalué les dommages que nous a causés la présence d'un contrefacteur sur le marché. J'ai élaboré une stratégie de taux de royautés pour des licenciés potentiels dans une vingtaine de pays. J'ose espérer que toute mon expérience me donne une certaine crédibilité dans le domaine.

Attribuer une valeur financière à un brevet n'est pas une mince tâche. C'est d'autant plus difficile qu'il n'existe pas vraiment de standards sur le sujet. Puisqu'un brevet constitue un actif qualifié d'intangible, son évaluation est presque une question de perception. Il est donc important de diminuer l'aspect *perception de la valeur* et d'augmenter l'aspect *valeur réelle* du brevet.

Mon approche est simple et mon but est de mettre l'accent sur le concept et non sur le détail. Donc, il manque aux calculs que je vous soumets plus loin des données qui pourraient modifier les résultats. Je compte sur vos experts pour les soulever. Tenez compte de leurs commentaires, mais sans jamais perdre de vue que votre innovation brevetée peut vous donner accès à d'importants revenus et que cela représente une grande valeur financière.

Opposez aussi une certaine résistance aux objections des personnes bien pensantes qui tenteront de diminuer la valeur de votre actif.

Après la lecture de ce livre, vous devriez être en mesure de préciser vos allégations et de demeurer crédible. Les méthodes proposées vous fourniront des arguments convaincants sur la valeur de votre brevet.

Je vous présente progressivement quatre méthodes d'évaluation. D'une évaluation à l'autre, de nouveaux aspects sont considérés ; ils augmenteront graduellement la valeur financière du brevet.

Je décris chaque étape point par point. J'inclus un exemple dans le but d'illustrer le résultat. Au fil de votre lecture, vous serez surpris de voir à quel point la valeur d'un brevet peut varier. Dans l'exemple que je vous propose, vous verrez la valeur d'un même brevet passer de 50 000 $ à 16 000 000 $.

La valeur de base

La valeur de base (VB) repose sur la notion de coûts. Pour calculer la valeur de base d'un brevet, on additionne les sommes déboursées en relation avec le brevet.

Comment cela se traduit-il en chiffres ?

Les honoraires professionnels 1

Pour obtenir un brevet, vous faites appel à un professionnel du domaine. Il est votre expert. Il vous aide à rédiger le brevet. Il vous guide dans les démarches à suivre auprès des bureaux de brevets. Parfois, il exécute ces démarches pour vous. Il vous éclaire sur vos droits et obligations. En contrepartie du travail réalisé, vous payez ses honoraires.

Voici une première donnée financière qui sera utile à l'évaluation de votre brevet. Nous la baptisons *HP1* pour *honoraires professionnels 1*.

Les honoraires professionnels 2

Dans vos démarches auprès des bureaux de brevets étrangers, vous faites appel à des correspondants étrangers. Ils constituent en quelque sorte le lien entre les bureaux de brevets des pays que vous avez choisis de couvrir et vous. En contrepartie de leur travail, vous payez leurs honoraires.

C'est une deuxième donnée financière. Nous la baptisons *HP2* pour *honoraires professionnels 2*.

Les honoraires professionnels 3

Supposons que votre brevet est rédigé en anglais et que vous décidez de le déposer dans plusieurs pays. Il doit être traduit dans la langue de chaque pays dont la langue officielle diffère de celle du brevet initial. Vous faites appel à des traducteurs experts dans le domaine des brevets. En contrepartie du travail qu'ils réalisent, vous payez leurs honoraires.

Voilà une troisième donnée financière. Nous la baptisons *HP3* pour *honoraires professionnels 3*.

Les taxes

Pour obtenir un brevet, vous devez payer des taxes pour le dépôt de la demande de brevet, le dépôt de la requête d'examen, le dépôt dans chaque pays et le maintien dans chaque pays.

Vous obtenez votre quatrième donnée financière. Nous la baptisons *TX* pour *taxes*.

Vous pouvez limiter ou compléter cette liste de déboursés selon votre propre processus de prise de brevet.

La formule mathématique de VB

La valeur de base (VB) du brevet découle de la somme des déboursés. Vous la calculez en additionnant les différents honoraires profession-nels et les taxes. L'équation se lit comme suit :

$$HP1 + HP2 + HP3 + TX = VB$$

L'application de la formule mathématique de VB

Vous avez déposé un brevet dans plusieurs juridictions (pays). Vous avez déboursé 30 000 $ pour les honoraires de votre expert, 5 000 $ pour ceux de vos correspondants étrangers, 10 000 $ pour ceux de vos traducteurs et 5 000 $ pour les taxes. Vous faites l'addition suivante pour obtenir votre première évaluation :

$$HP1 + HP2 + HP3 + TX = VB$$

$$30\ 000\ \$ + 5\ 000\ \$ + 10\ 000\ \$ + 5\ 000\ \$ = \mathbf{50\ 000\ \$}$$

Approche	Valeur du brevet
Valeur de base (VB)	50 000 $

Vous avez déjà en main une valeur financière de votre brevet qui est difficilement contestable. Bon, ce n'est pas le Klondike, mais c'est un point de départ qui se défend bien.

La valeur de base bonifiée

Au moment de la prise de votre brevet, vous investissez des sommes d'argent importantes en honoraires professionnels de toutes sortes (conseillers, experts, correspondants étrangers, traducteurs, bureaux de brevets…).

Mais, est-ce le seul investissement qui a été fait ? Votre brevet repose sur une innovation que vous avez développée, ce qui a requis des ressources humaines et matérielles.

Considérez cet investissement comme un actif. Vous obtenez la valeur de base bonifiée (VBB) de votre brevet.

La formule mathématique de VBB

La valeur de base bonifiée (VBB) de votre brevet a comme point de départ l'évaluation de base VB ; il faut ajouter une nouvelle donnée, celle de l'investissement en recherche et développement (R&D). L'équation se lit comme suit :

$$VB + R\&D = VBB$$

L'application de la formule mathématique de VBB

Grâce aux calculs de l'étape précédente, on connaît la valeur de VB, qui est de 50 000 $.

Supposons que la somme que vous avez investie en R&D est de 60 000 $. Vous faites l'addition suivante pour obtenir votre deuxième évaluation.

$$VB + R\&D = VBB$$

$$50\ 000\ \$ + 60\ 000\ \$ = \mathbf{110\ 000\ \$}$$

Approches	Valeur du brevet
Valeur de base (VB)	50 000 $
Valeur de base bonifiée (VBB)	110 000 $

Sans trop d'effort, vous venez de doubler la valeur de votre brevet.

La valeur commerciale

Dans mes expériences en évaluation de brevet, j'ai fait appel à des professionnels qui m'ont éclairée sur les approches conventionnelles d'évaluation. Je demeurais, toutefois, insatisfaite des réponses reçues. Je sentais que notre innovation avait un potentiel commercial important et qu'elle avait une grande valeur financière (du moins, plus grande que celle qui était estimée par les gens qui m'entouraient).

Je me suis appliqué à trouver un moyen de transposer mon instinct en chiffres que les intervenants autour de moi pouvaient comprendre et accepter.

J'ai compris à la dure que j'étais, à titre d'entrepreneure propriétaire d'un brevet, la mieux placée pour anticiper sa valeur. Comme entrepreneure, je connais mieux que quiconque mon positionnement dans mon industrie, ainsi que mes clients et mes compétiteurs. C'est la même chose pour vous. Rares sont les conseillers qui peuvent prétendre connaître votre domaine autant que vous.

En fait, d'instinct, vous sentez que votre brevet vaut plus que la somme des déboursés requis pour son obtention. Quelle est donc la donnée manquante ? La réponse se trouve dans la valeur commerciale du brevet, soit l'argent qui peut être généré grâce à l'innovation elle-même et au fait qu'elle soit brevetée.

On commercialise une innovation sous forme de produit qu'on vend. L'innovation donne au produit des qualités particulières. À leur tour, ces qualités confèrent au produit une valeur réelle, qui se reflète dans le prix de vente et dans les profits générés.

Une innovation peut exister sans brevet. Elle ajoute de la valeur au produit qui l'intègre. C'est un avantage commercial. Par contre, l'innovation prend toute sa valeur lorsqu'elle est protégée par un brevet. Elle devient exclusive. Voilà un avantage commercial de taille qui doit se refléter dans la valeur du brevet.

C'est ce que je propose dans l'approche de la valeur commerciale (VC) d'un brevet : il faut tenir compte du potentiel commercial de l'innovation.

La formule mathématique de VC

La valeur de base bonifiée (VBB) sert de point de départ à l'évaluation commerciale VC. On y ajoute le potentiel commercial (PC) escompté par l'implantation de l'innovation ; il consiste dans les profits supplémentaires anticipés qui découleront de l'intégration de l'innovation brevetée. L'équation se lit alors comme suit :

$$VBB + PC = VC$$

Évaluer PC

Pour trouver la valeur de PC (potentiel commercial), il faut considérer **3 données** :

1. le nombre d'unités supplémentaires du produit couvert par le brevet vendues par année. *Attention, il faut compter uniquement les unités vendues grâce à la présence de l'innovation brevetée !* C'est la variable X ;

2. le nombre d'années durant lesquelles l'innovation brevetée constituera un avantage commercial. C'est la variable Y ;

3. le profit unitaire lié à l'innovation. C'est la variable Z.

PC s'évalue en appliquant l'équation suivante :

$$X \times Y \times Z = PC$$

Évaluer X

Je propose de regrouper les ventes supplémentaires annuelles (X) en **3 catégories** principales. Les voici :

x' : le nombre d'unités vendues aux clients réguliers ;

x'' : le nombre d'unités vendues aux nouveaux clients ;

x''' : le nombre d'unités vendues par les licenciés.

X s'obtient selon l'équation suivante :

$$x' + x'' + x''' = X$$

Évaluer Y

Selon le secteur d'activité et selon l'innovation concernée, la durée de vie commerciale de l'innovation varie de quelques années à plus d'une décennie. Si vous connaissez bien votre secteur, vous serez en mesure d'estimer le nombre d'années (Y) pendant lesquelles l'innovation permettra de vendre les produits exclusifs.

Évaluer Z

Pour trouver Z, on tient compte, d'abord, du prix de revient du produit, que l'on multiplie par le profit par unité. C'est souvent un pourcentage standard appliqué à l'industrie touchée.

On trouve Z selon l'équation suivante :

$$\text{Prix de revient} \times \% \text{ de l'industrie} = Z$$

L'application de la formule mathématique de VC

Évaluer VC

$$VBB + PC = VC$$

Grâce aux calculs de l'étape précédente, on connaît la valeur de VBB. Elle est de 110 000 $. Pour évaluer VC, il faut évaluer PC.

Évaluer PC

$$X \times Y \times Z = PC$$

Pour évaluer PC, il faut évaluer X, Y et Z.

Évaluer X

$$x' + x'' + x''' = X$$

Disons que vous vendez annuellement à vos clients réguliers 4 000 unités d'un produit. Ce produit n'intègre pas l'innovation.

Vous offrez le produit bonifié, doté de l'innovation protégée. Avec l'apparition de ce produit exclusif, vous comptez augmenter les ventes faites à vos clients réguliers de façon à atteindre 9 000 unités. Cela correspond à 5 000 unités, en plus des 4 000 déjà assurées (même sans l'innovation brevetée).

$$x' = 5\ 000 \text{ unités}$$

Fort de votre nouveau produit exclusif, vous comptez gagner 10 nouveaux clients qui achèteront chacun 1 000 unités par an. Les ventes annuelles générées auprès de ces nouveaux clients s'estiment donc à 10 000 unités (10 clients x 1 000 unités).

$$x'' = 10\ 000 \text{ unités}$$

Enfin, vous escomptez signer 15 nouvelles licences. Chaque licencié vendra 1 000 unités par an. Tous ensemble, ils vendront annuellement 15 000 unités par an (15 licenciés x 1 000 unités).

$$x''' = 15\ 000 \text{ unités}$$

On évalue alors la valeur de X comme suit :

$$x' + x'' + x''' = X$$

$$5\ 000 + 10\ 000 + 15\ 000 = X$$

$$30\ 000 \text{ unités} = X$$

Évaluer Y

Supposons que vous estimez à 10 ans la durée de vie utile de l'innovation brevetée.

$$10 \text{ ans} = Y$$

Évaluer Z

$$\text{Prix de revient} \times \% \text{ de l'industrie} = Z$$

Supposons que le prix de revient du produit est de 75 $ et que, dans votre industrie, le pourcentage standard de profit est de 4 %. Le profit unitaire Z attribué à l'innovation est donc :

$$\text{Prix de revient} \times \% \text{ de l'industrie} = Z$$

$$75\,\$ \times 4\,\% = Z$$

$$3\,\$ = Z$$

Évaluer PC (suite)

On connaît maintenant les valeurs de X, Y et Z. On obtient la valeur de PC comme suit :

$$X \times Y \times Z = PC$$

$$30\,000 \text{ unités} \times 10 \text{ ans} \times 3\,\$ = 900\,000\,\$$$

$$900\,000\,\$ = PC$$

Évaluer VC (suite)

On connaît la valeur de VBB et de PC. On obtient la valeur commerciale du brevet VC comme suit :

$$VBB + PC = VC$$

$$110\,000\,\$ + 900\,000\,\$ = 1\,010\,000\,\$$$

Approches	Valeur du brevet
Valeur de base (VB)	50 000 $
Valeur de base bonifiée (VBB)	110 000 $
Valeur commerciale (VC)	1 010 000 $

On voit ici que le brevet prend une tout autre allure lorsqu'on considère sa valeur commerciale.

Avec cette nouvelle valeur, déterminée avec rigueur, vous avez en main de solides éléments pour négocier et pour défendre votre point de vue.

La valeur commerciale bonifiée

À cette étape ultime d'évaluation d'un brevet, la valeur de l'innovation prend tout son sens. Un nouvel aspect est considéré : la valeur perçue de l'innovation intégrée dans un produit.

J'entends par l'expression *valeur perçue* le montant d'argent que le client est prêt à payer pour utiliser la caractéristique que présente l'innovation brevetée intégrée dans le produit offert.

L'innovation donne au produit une caractéristique quelconque. Le client voit dans celle-ci (qui lui fait économiser de l'argent, par exemple) une valeur financière. Il est prêt à payer une somme d'argent supplémentaire pour avoir accès à cette caractéristique. Le prix de vente du produit reflète cette valeur perçue.

La valeur perçue n'a aucun lien avec les coûts de fabrication, le prix de revient ou les standards de l'industrie. Son évaluation se fait au cas par cas. En considérant cette valeur perçue, vous obtenez la valeur commerciale bonifiée (VCB) de votre brevet.

> *ATTENTION!*
>
> *Une valeur perçue demeure subjective. Elle est contestable, et vos adversaires le savent. Vous aurez à justifier votre évaluation. Votre meilleure défense, c'est d'avoir confiance dans votre estimé et dans la rigueur appliquée au moment des calculs.*

La formule mathématique de VCB

Pour évaluer la valeur commerciale bonifiée (VCB), on ajoute à la valeur commerciale (VC) calculée à l'étape précédente le potentiel commercial lié à la valeur perçue par le client, PCvp. L'équation se lit comme suit:

$$VC + PCvp = VCB$$

Pour trouver la valeur de PCvp, il faut considérer **3 données**:

1. le nombre d'unités du produit couvert par le brevet qui seront vendues par an. Attention! il faut compter uniquement les unités vendues grâce à la présence de l'innovation brevetée. C'est la variable X;

2. le nombre d'années que durera l'innovation brevetée. C'est la variable Y;

3. le profit unitaire lié à la valeur perçue par le client. C'est la variable Zvp.

PCvp s'obtient selon l'équation suivante:

$$X \times Y \times Zvp = PCvp$$

Les valeurs X et Y sont les mêmes que celles qui ont été calculées à l'étape précédente. Il reste à évaluer Zvp.

Évaluer Zvp

Pour évaluer la valeur de Zvp, on se réfère à **2 données** :

1. le prix de vente déterminé par les standards de l'industrie. C'est la variable PxS ;

2. le prix de vente déterminé en fonction de la valeur de l'innovation perçue par le client. C'est la variable PxVP.

Pour trouver Zvp, on soustrait le prix de vente standard de l'industrie, PxS, du prix de vente lié à la valeur perçue, PxVP. L'équation se lit comme suit :

$$PxVP - PxS = Zvp$$

ATTENTION !

Il y a fort à parier que la valeur calculée de votre brevet dépasse grandement celle que vous estimiez initialement. Ces chiffres donnent le vertige à certains et les effraient, alors qu'ils donnent des ailes à d'autres et leur permettent d'atteindre de nouveaux sommets. Soyez de la seconde catégorie.

L'application de la formule mathématique de VCB

$$VC + PVvp = VCB$$

Grâce aux calculs de l'étape précédente, on connaît la valeur de VC, qui est de 1 010 000 $. Pour évaluer VCB, il faut évaluer PCvp.

Évaluer PCvp

$$X \times Y \times Zvp = PCvp$$

On connaît la valeur de X, qui correspond à 30 000 unités, et celle de Y, qui correspond à 10 ans. Pour évaluer PCvp, il faut évaluer Zvp.

Évaluer Zvp

$$PxVP - PxS = Zvp$$

Disons que, après avoir étudié le marché, vous déterminez que le prix que le client est prêt à payer pour avoir accès au produit innovateur est de 128 $. Le prix PxVP est donc de 128 $.

Dans le calcul de VC, le profit standard a été évalué à 3 $, et le prix de revient, à 75 $. Le prix de vente standard, PxS, s'évalue donc à 78 $ (soit à 3 $ + 75 $). La valeur de Zvp est de :

$$PxVP - PxS = Zvp$$

$$128\ \$ - 78\ \$ = 50\ \$$$

$$50\ \$ = Zvp$$

Évaluer PCvp (suite)

$$X \times Y \times Zvp = PCvp$$

$$30\ 000\ \text{unités} \times 10\ \text{ans} \times 50\ \$ = 15\ 000\ 000\ \$$$

$$15\ 000\ 000\ \$ = PCvp$$

Évaluer VCB (suite)

$$VC + PCvp = VCB$$

$$1\ 010\ 000\ \$ + 15\ 000\ 000\ \$ = 16\ 010\ 000\ \$$$

$$16\ 010\ 000\ \$ = VCB$$

Approches	Valeur du brevet
Valeur de base (VB)	50 000 $
Valeur de base bonifiée (VBB)	110 000 $
Valeur commerciale (VC)	1 010 000 $
Valeur commerciale bonifiée (VCB)	16 010 000 $

Impressionnant, n'est-ce pas ? Bien sûr, tout cela demeure théorique et estimatif. En fait, cette évaluation est liée au talent qu'a l'entrepreneur de tirer profit commercialement de l'innovation protégée.

Comme toute évaluation, elle peut être contestée de différentes façons. Sachez, par contre, que cet exercice m'a déjà fourni des arguments fort utiles pour mes négociations.

En tant qu'entrepreneure, la valeur commerciale bonifiée, VCB, est de loin celle que je préfère. Elle détermine un plafond auquel on peut se rapporter au moment des négociations. Référez-vous-y lorsque vous négociez le taux de royautés que vous exigez, ou lorsque vous négociez le prix de vente du brevet ou de votre entreprise. Servez-vous-en aussi lorsque vous négociez avec vos financiers les garanties nécessaires à la couverture d'un prêt ou que vous négociez quelle proportion de votre entreprise vous laissez aller à l'arrivée d'un nouvel investisseur.

> **ATTENTION !**
>
> *Les dernières approches font preuve d'une réelle audace à l'avantage du propriétaire du brevet. Dans votre entourage, attendez-vous à rencontrer de la résistance. Défendez donc votre point de vue avec vigueur.*

Évaluer un brevet : un travail d'équipe

Je vous rappelle que le but de ma démonstration n'est pas de fournir une démarche scientifique pour calculer la valeur d'un brevet, mais de vous présenter une sorte de « règle du pouce sur » la valeur d'un brevet. Quelle que soit l'approche que vous privilégiez, outillez-vous de manière à pouvoir argumenter face à ceux qui auront avantage à diminuer la valeur de votre actif.

Même si vous avez un bon instinct, évitez de procéder aux évaluations en solitaire. Mettez vos équipes à profit.

Travaillez avec votre équipe comptable. C'est elle qui est la mieux placée pour déterminer les valeurs des données nécessaires aux évaluations. De plus, c'est elle qui adapte les formules proposées aux réalités de votre entreprise et de votre industrie.

> **ATTENTION !**
>
> *Souvent de nature conservatrice, les gens de la comptabilité risquent d'émettre de fortes réserves. Tenez compte de leurs commentaires, mais ne perdez pas de vue que votre innovation brevetée vous donne accès à d'importants revenus et que cela représente une grande valeur financière.*

Travaillez avec votre équipe de recherche et développement (R&D). Elle vous orientera non seulement sur la force technologique de votre innovation, mais aussi sur celle de vos compétiteurs. Votre équipe précisera les avantages techniques et opérationnels de votre innovation. Ainsi, vous pourrez évaluer vos chances de conquérir de nouveaux clients et marchés.

> *ATTENTION !*
>
> *Que ce soit par humilité, par peur d'être étiquetés comme profiteurs ou pour toute autre raison, les gens en recherche et développement ont tendance à sous-estimer la valeur financière de leur création. Tenez compte de leurs commentaires, mais surtout concentrez-vous sur le potentiel commercial des forces technologiques de votre innovation brevetée.*

Travaillez avec votre équipe marketing. Elle vous guidera relativement à la difficulté ou à la facilité de conquérir de nouveaux clients et marchés, ainsi qu'à la grosseur des marchés, à la valeur de l'innovation perçue par les utilisateurs, etc. Les données marketing sont au cœur de l'évaluation de la valeur commerciale de votre brevet.

> *ATTENTION !*
>
> *Votre équipe marketing qui, par nature, est optimiste, risque de surestimer le potentiel commercial d'une innovation. Laissez-vous inspirer, mais gardez la tête froide.*

Travaillez avec vos conseillers (agent de brevets ou avocat) qui maîtrisent l'aspect juridique, la jurisprudence, les standards, etc., du domaine. Vous en avez besoin. N'hésitez pas à vous en servir. Cela dit, restez maître de la situation. Conservez le leadership. Et surtout, contrôlez les honoraires.

J'espère que, à la vue de ces différentes valeurs potentielles d'un brevet, vous constatez combien il peut être intéressant et payant d'avoir des brevets.

> **Un peu d'humilité est de mise.**
>
> *Souvenez-vous que plus votre innovation permet de faire du commerce, et plus ce commerce est lucratif, plus votre innovation a une grande valeur financière. Le contraire est aussi vrai. Une innovation, aussi «trippante» soit-elle, qui ne génère pas de nouveaux revenus n'a pas de grande valeur financière.*

> **Un petit mot sur le monde financier**
>
> *Malgré la logique du calcul, attendez-vous à ce que les représentants du monde bancaire et du capital-risque n'accordent que peu ou pas de valeur à votre brevet. Difficile, alors, de comprendre le fait qu'ils insistent pour inclure cet actif dans la série de garanties exigées! Il vous sera probablement ardu d'utiliser votre évaluation — même la plus conservatrice — comme base de garantie d'un financement.*
>
> *Lorsque vous avez besoin d'un financement, malgré la résistance du financier, insistez pour que celui-ci reconnaisse la valeur de votre brevet. Argumentez contre ses arguments; votre brevet a une valeur financière, au même titre que votre immeuble ou vos équipements de production. Qui sait? Grâce à vos démarches et à celles des autres entrepreneurs, le monde bancaire changera peut-être un jour un de ses paradigmes.*

SECTION III

Trucs et astuces pour la PME

CHAPITRE 9

La robustesse du brevet

Les risques d'invalidation du brevet

Un jour, un contrefacteur mécontent de nous avoir dans ses pattes nous a menacés de faire invalider nos brevets. Cela ne m'a pas impressionnée, car j'étais convaincue de leur validité infaillible. J'en ai parlé à mon agent de brevets, qui s'est mis tout d'un coup à balbutier des mots incompréhensibles : « incertain, risque, blablabla... ». Il a dit des phrases que je ne comprenais pas : « On n'est jamais sûr que blablabla... Il faut savoir que blablabla... » Je sentais la pression monter en moi et je me suis exclamée : « Êtes-vous en train de me dire que j'ai payé tous ces frais et tous ces honoraires pendant tant d'années alors que je ne suis pas sûre que mon brevet est valide ? » Il m'a répondu humblement, mais catégoriquement : « Oui. On n'est jamais complètement sûr de la validité d'un brevet. » J'étais renversée. Malgré ma diligence, mes brevets pouvaient être invalidés. J'ai dû accepter l'évidence ; mon agent de brevets avait raison à propos du risque. Mais mon contrefacteur n'avait pas raison. Il s'était essayé.

Vous êtes peut-être surpris de savoir que, malgré l'obtention de votre brevet, malgré la diligence que vous avez appliquée à vos processus, malgré la compétence de vos professionnels, votre brevet risque toujours d'être invalidé. C'est malheureux, c'est effrayant, mais c'est ainsi.

Est-ce vraiment inquiétant? Peut-être! Est-ce que cela signifie qu'un brevet est sans intérêt? Certainement pas. Malgré le risque, le système est assez rigoureux et, lorsque vous obtenez un brevet, c'est sérieux. L'invalidation, c'est laborieux, difficile et coûteux.

La divulgation publique

La divulgation publique d'une invention cause problème lorsqu'elle est faite avant le dépôt d'une demande de brevet. Cette diffusion peut prendre la forme de la fiche technique d'un produit, d'une conférence donnée au moment d'un congrès, d'un article dans un magazine, d'une description sur Internet, etc.

Ne sous-estimez pas l'importance d'une divulgation publique. Les conséquences peuvent être dramatiques. Lorsqu'une innovation non brevetée fait l'objet d'une divulgation publique, le mot le dit, elle devient publique; c'est-à-dire que n'importe qui peut s'en servir de plein droit. Ce qui est public ne peut généralement pas être breveté.

Alors, si votre innovation a fait l'objet d'une divulgation avant que vous ayez déposé votre demande de brevet, vous n'aurez, normalement, aucun droit de la breveter. Même dans le cas où vous avez déjà obtenu un brevet, si quelqu'un montre qu'une telle divulgation existe, votre brevet est invalide. Il ne vaut plus rien.

Voilà pourquoi il est important de faire preuve d'une grande rigueur dans le processus de prise de brevet. Assurez-vous que toutes les équipes et tous les partenaires respectent la confidentialité des informations liées à l'invention.

Attention! la divulgation publique ne s'arrête pas là. Il se peut que quelqu'un d'autre, quelque part dans le monde, ait déjà parlé publiquement d'une innovation dont vous pensiez avoir la primeur ou qu'il l'ait documentée. Cela constitue une divulgation publique.

Ce n'est pas tout. Certaines entreprises se servent de la divulgation publique pour conserver leur droit d'utiliser une innovation. Je m'explique. L'entreprise innovatrice développe périodiquement de nouvelles inventions brevetables, mais toutes ces inventions ne sont pas dignes d'intérêt. Certaines ne méritent pas d'être brevetées, mais l'entreprise innovatrice veut pouvoir utiliser l'invention sans restriction. La méthode la plus simple pour elle est de faire elle-même une divulgation publique. Tout le monde peut s'en servir librement, dont elle-même. Devenue publique, l'invention n'est plus brevetable par personne.

L'art antérieur

Un autre risque d'invalidation découle du fait qu'il est toujours possible que votre innovation soit couverte par un brevet déposé avant le vôtre.

Des milliers de brevets sont obtenus chaque année. Il est donc très difficile — pour ne pas dire impossible — pour le vérificateur ou pour votre expert de parcourir tous ceux qui existent.

De plus, il y a une période durant laquelle une invention en processus de brevetabilité peut demeurer confidentielle. Durant cette période, il est impossible pour quiconque de savoir si, oui ou non, un brevet couvrant son invention sera bientôt émis.

Le risque d'art antérieur est donc réel. Cela dit, gardez à l'esprit que, comme dans les autres domaines d'affaires, chaque situation se situe plus souvent qu'autrement dans des zones grises. Le fait que quelqu'un prétende que votre brevet est couvert par son brevet plus ancien demeure une prétention. C'est généralement une question d'interprétation ou de point de vue. Le vôtre vaut très certainement celui de votre adversaire. Défendez-vous. Là encore, c'est le jeu de la négociation et de l'argumentation qui prévaut.

Comment faire une recherche d'antériorité?

Vous innovez et vous pensez avoir inventé quelque chose. Avant de trop investir dans le processus de prise de brevet, vous devez faire une petite recherche pour savoir si l'invention existe déjà. C'est ce qu'on appelle une recherche d'antériorité.

Pour vérifier l'existence d'une antériorité, je vous conseille une méthode simple; répondez aux trois questions suivantes:

- Est-ce que mon invention est déjà intégrée dans un produit présent sur le marché?

- Est-ce que mon invention a déjà fait l'objet d'une diffusion publique?

- Est-ce que mon invention est déjà couverte par un brevet existant?

Les réponses à ces questions vous permettront de déterminer sommairement l'existence d'une antériorité.

Est-ce que mon invention est déjà intégrée dans un produit présent sur le marché?

Votre invention peut être déjà intégrée dans un produit vendu sur le marché. Si c'était le cas, vous ne pourriez prendre de brevet. Vous devez donc vérifier l'existence d'un tel produit.

Pour ce faire, voyez quels sont les manufacturiers qui œuvrent dans le domaine de votre invention. Ce sont souvent vos compétiteurs actuels ou futurs. La majorité des produits sont documentés sur le Net. Consultez leurs fiches, leurs manuels et les vidéos de formation. Cherchez comment ces produits peuvent faire ce que vous venez d'inventer. En cas de doute, complétez votre analyse en achetant le produit qui vous inquiète et vérifiez directement s'il couvre votre invention.

Durant vos recherches, cernez et notez le numéro des brevets qui couvrent les produits que vous étudiez. Ce renseignement vous sera utile lorsque vous tenterez de vérifier si un brevet couvrant votre invention existe déjà.

Est-ce que mon invention a déjà fait l'objet d'une diffusion publique?

Si votre invention a déjà fait l'objet d'une diffusion publique, il y a de fortes chances qu'un article de magazine l'ait couvert. Aujourd'hui, la plupart des revues ont numérisé leurs archives, et celles-ci sont accessibles sur le Web. Grâce à des mots clés, la recherche devient un jeu d'enfant (ou presque).

Comment cerner ces fameux mots clés?

Trouvez un article qui couvre le domaine touché par votre invention. Arrêtez-vous au vocabulaire utilisé et dressez la liste des termes qui sont, à votre avis, les plus pertinents. Vous obtiendrez ainsi une liste de mots clés qui vous servira dans vos recherches sur le Web.

Entreprenez alors votre étude en vous servant du moteur de recherche de votre choix (comme Google, Yahoo ou Bing).

Est-ce que mon invention est déjà couverte par un brevet existant?

Autrefois, lorsque les brevets n'existaient que sous forme de papier ou de microfilm, il fallait se rendre à Ottawa ou à Washington pour accéder à la base de données. L'inventeur consultait sur place l'ensemble des brevets se rapportant à sa technologie. Imaginez le travail et le temps que cet exercice représentait!

Aujourd'hui, grâce à Internet et aux moteurs de recherche, on peut accéder à l'ensemble des bases de données sur les brevets déposés dans le monde entier. La tâche reliée à la recherche est beaucoup moins lourde, mais attention! elle reste complexe.

Il existe au moins deux types de sites Web qui couvrent les brevets.

La première catégorie comprend les sites appartenant au registraire de chaque pays. Vous trouverez ces sites sur le Net en tapant les mots *patent* &, suivis du nom anglais du pays, dans la fenêtre d'un moteur de recherche. L'utilisation de ces sites est souvent gratuite. Attention! vous ne trouverez que les brevets émis dans le pays concerné. Voici quelques exemples de sites gouvernementaux:

canadien   http://brevets-patents.ic.gc.ca

américain	http://appft.uspto.gov
européen	http://ep.espacenet.com
japonais	http://www.jpo.go.jp
chinois	http://www.chinatrademarkoffice.com

La deuxième catégorie couvre les sites appartenant à des organisations privées. Il s'agit de bases de données qui regroupent des brevets provenant de plusieurs pays. Notez que l'emploi de ces sites n'est pas toujours gratuit. Voici quelques exemples de sites privés :

Questel	http://www.questel.com
Delphion	http://www.delphion.com
Google	http://www.google.com/patents

Quel que soit le site, il est souvent possible de chercher un brevet à partir de mots clés ou d'un numéro d'enregistrement de brevet.

Au cours de votre recherche de diffusion publique, vous avez noté les numéros des brevets couvrant les produits compétiteurs. C'est ici qu'ils servent. Grâce à ces numéros, il vous sera facile de retracer les brevets en question et d'en faire l'étude.

À partir d'un brevet, vous pouvez déterminer d'autres brevets pertinents. Voici comment :

- Consultez la section *reference cited* d'un brevet et voyez quels autres brevets sont relatifs au domaine d'application de votre invention.

- Consultez la section *field of the invention* ou la section *prior art* et étudiez le vocabulaire utilisé dans le domaine d'application de votre invention. Vous raffinerez alors votre liste de mots clés et pourrez trouver d'autres brevets pertinents.

- À l'aide des mots clés, cernez les mots les plus significatifs et commencez par eux. Utilisez leurs synonymes, leurs diminutifs et leurs abréviations pour enrichir votre recherche.

- Une fois que vous aurez trouvé un brevet intéressant, téléchargez-le et lisez-le.

- Prenez le temps de lire les cinq à dix premières références.

Consultez la section *summary of the invention* et *description of the invention*, et plus particulièrement la sous-section *claims*, et vérifiez si votre invention est couverte par les revendications de ce brevet.

Faire ce type de recherches demande beaucoup de temps, et le résultat n'est jamais garanti à 100 %. Toutefois, ce travail est essentiel pour assurer un minimum de robustesse à votre futur brevet.

> *ATTENTION !*
>
> *J'aimerais préciser ici que ces trucs et ces astuces pour la recherche d'antériorité ont été développés par mon partenaire Daniel Bindley, qui a généreusement accepté de partager son expérience avec vous tous.*

CHAPITRE 10

La contrefaçon du brevet

Au fil des ans, mes brevets ont été copiés, contestés et menacés. J'ai eu à les défendre autant auprès des petites entreprises qu'auprès des grandes. J'ai cherché activement de l'information sur la défense d'un brevet. Celle que j'ai trouvée se limitait à l'aspect théorique du sujet, et elle traitait principalement du cas de multinationales. Il n'y avait rien qui touchait à la situation de l'entrepreneur québécois ne disposant que de ressources limitées. J'ai donc dû me résoudre à improviser et à innover sur les meilleures façons de me défendre. J'ai dû investir beaucoup de temps et d'argent uniquement pour comprendre quelques concepts de base. Dans la présente section, je partage avec vous le résultat de mes expériences et de mes recherches.

Personne n'est intéressé à payer quoi que ce soit s'il n'y est pas obligé. C'est d'autant plus vrai pour un contrefacteur. Vous pouvez être certain que, en cas de contrefaçon de votre brevet, le contrefacteur mettra tout en œuvre pour éviter de vous verser quoi que ce soit.

Résultat : une bonne partie de votre travail consiste à défendre votre brevet, et ce, bien avant de vous rendre devant les tribunaux.

Comment défendre un brevet? La question est pertinente, mais la réponse n'est pas simple. Chaque cas de contrefaçon est un cas d'espèce qui a ses propres particularités.

Le contrefacteur peut être un compétiteur, un partenaire, un individu, une PME ou même une multinationale. Il peut œuvrer ou non dans votre secteur d'activité. Il peut compter sur d'importantes ressources ou pas. Il peut avoir de l'expérience dans le domaine ou il peut ne rien y connaître. Et, pour compliquer le tout, chaque cas évolue et change au fil du temps. Un vrai casse-tête en quatre dimensions!

Adaptez votre attitude, votre approche et votre stratégie à chaque cas. Considérez les choses selon que votre contrefacteur est une petite, une moyenne ou une grande entreprise.

> ### ATTENTION!
>
> *Lorsque vous avez à défendre votre brevet, faites-vous seconder par un conseiller juridique compétent, en qui vous avez confiance. Il connaît mieux que vous l'aspect théorique et la jurisprudence du domaine en question. Mais faites toujours preuve de leadership. C'est votre propriété. C'est vous qui payez et c'est vous qui décidez. C'est une négociation et non un conflit.*

Le contrefacteur est une grande entreprise

Vous avez une entreprise de taille moyenne. Vous possédez un brevet que vous exploitez. Vous constatez qu'une grande entreprise propose un produit qui constitue un délit de contrefaçon en vertu de votre brevet.

Pas de panique! Souvenez-vous que le fait qu'une grande entreprise utilise votre innovation peut constituer une bonne nouvelle. C'est un gros client potentiel.

Considérez la contrefaçon comme une sorte de validation de la qualité de votre innovation. Lorsqu'une grande entreprise intègre une innovation dans ses produits, c'est qu'elle a un intérêt technologique ou commercial certain. Vous êtes heureux de cette reconnaissance. Cependant, si c'est bien pour l'ego, c'est insuffisant pour le portefeuille.

Le contrefacteur fait du commerce en vendant des unités d'un produit qui est une contrefaçon. Puisque l'argent généré dépend notamment de votre innovation, vous avez droit à une partie. Et, dans le cas d'une multinationale, cela peut représenter des millions de dollars. Cette situation ne manque pas d'intérêt.

Votre contrefacteur est important. C'est un géant, et vous êtes peut-être lilliputien. Il a des ressources qui dépassent de beaucoup les vôtres ; elles dépassent même probablement celles de vos partenaires financiers. Pour comble de malheur, il sait très bien utiliser ses ressources. Oui, votre géant a commis un délit de contrefaçon et il n'a pas le droit d'utiliser votre innovation sans votre permission. En même temps, il est très puissant et, si cette puissance se retourne contre vous, vous pourriez risquer gros.

Cela dit, ne vous laissez pas faire. Faites valoir vos droits. Mais attention ! adoptez une approche qui, tout en étant ferme, évite la confrontation directe. À première vue, devant une grande entreprise, vous ne faites pas le poids.

Imaginez que vous affrontez un énorme gorille menaçant. Vous exigez qu'il vous paye ce qu'il vous doit.

Même si votre entreprise est petite, vous ne craignez pas ce gorille, pourtant capable de vous écraser comme un puceron encombrant.

Comment se fait-il que vous ayez le toupet d'affronter un si gros adversaire? Et pourquoi celui-ci ne vous écrase-t-il pas?

En fait, il manque un élément dans le tableau.

En changeant d'angle, on découvre, derrière vous, un immense lion. Il est plus imposant et plus menaçant que le gorille. Vous complétez votre phrase par une menace à peine voilée.

N'est-ce pas que la perspective a changé? On comprend mieux pourquoi vous avez le courage d'affronter le gorille.

Ce lion représente la justice, qui voit à ce que vos droits soient respectés. Il protège les plus faibles des abus que les plus forts pourraient commettre à leur endroit. Ce lion garantit, en fait, que la loi est respectée, autant dans le cas des grands que dans celui des petits.

Avec un brevet, vous êtes mieux outillé que vous ne le pensez. Vous n'êtes pas sans ressources. Bien au contraire, vous avez la justice comme principal allié.

Bien sûr, le coût d'un conflit juridique peut être important, et le résultat demeure incertain. Cela vous fait hésiter ?

Dites-vous que le coût d'un conflit juridique est encore plus important pour la grande entreprise que pour vous. Dites-vous aussi que, en cas de contrefaçon, la grande entreprise risque d'entacher sa réputation, ce qui n'est pas bon pour ses affaires.

De plus, les tribunaux ont la réputation d'avoir plus de sympathie pour les plus petits. Et la peine imposée aux plus forts, en cas de défaite, peut être très sérieuse. Elle peut dépasser de beaucoup vos exigences initiales. Conclusion : même si elle dispose d'immenses ressources, la grande entreprise y pensera à deux fois avant de s'aventurer sur la voie des tribunaux. Elle cherchera un autre terrain d'entente.

De votre côté, vous voulez éviter, vous aussi, la voie des tribunaux, de peur d'y voir passer l'ensemble de vos ressources. Vous cherchez, comme votre contrefacteur, à vous entendre d'une autre façon.

En tant que propriétaire d'un brevet bafoué, c'est vous qui avez le pouvoir d'entamer une poursuite judiciaire. Malgré vos hésitations, il faut que vous soyez prêt à passer à l'action si besoin est. Car c'est cette menace qui plane sur la tête de votre contrefacteur qui poussera celui-ci à discuter avec vous. Sans cette menace, il y a fort à parier qu'il ne bougera pas.

ATTENTION !

N'oubliez pas qu'il faut être prêt à passer à l'action, ne serait-ce que pour donner à votre menace la crédibilité qu'il faut pour influencer votre contrefacteur. La bataille devant les tribunaux risque d'être difficile et sans merci. Soyez donc prêt, mais évitez-la à tout prix.

Si une grande entreprise est coupable de contrefaçon à votre endroit, tentez une première manœuvre. Informez-la officiellement de l'illégalité qu'elle commet et de la nécessité qu'elle régularise sa situation. N'oubliez pas de mentionner que vous désirez réaliser des affaires et que votre but est de trouver la meilleure façon d'y parvenir.

Dans vos démarches, cherchez toujours à rester à la table de négociations. Tant que vous discutez, la chance d'une entente à l'amiable demeure possible. Faites preuve de leadership. Faites une offre raisonnable qui décrit clairement vos exigences.

Cette offre servira de base à la négociation. Au cours de cette dernière, attendez-vous à des délais, à des rebondissements et à des compromis. Vous aurez parfois des choix difficiles à effectuer.

Souvenez-vous que votre contrefacteur brasse de grosses affaires et compte de nombreux partenaires (clients, sous-traitants, consultants, distributeurs, etc.). En utilisant votre innovation sans votre permission, il place l'ensemble de ses partenaires dans une situation de contrefaçon.

Pensez-y ! Vous hésitez à attaquer directement le grand contrefacteur à cause des risques que cela représente ? Par l'intermédiaire de ses partenaires, vous pouvez éviter une confrontation directe tout en agissant efficacement.

Faites valoir vos droits auprès d'eux : ils ne sont pas nécessairement au courant de leur situation d'illégalité. Ils sont tous des contrefacteurs. Ils ont, toutefois, la qualité d'être davantage à votre niveau d'intervention. Il y a gros à parier que, en cas de mise en demeure de votre part, ils exerceront des pressions sur le contrefacteur principal. Cela devrait l'inciter à plus de flexibilité à la table de négociations.

Utilisez cette solution avec parcimonie, mais n'hésitez pas à y recourir lorsque vous le jugez nécessaire. Encore une fois, le but n'est pas de poursuivre tout un chacun impunément, mais plutôt d'arriver à une entente négociée, à une entente aux conditions acceptables pour vous et pour votre contrefacteur.

> *ATTENTION !*
>
> *Considérez la personne qui représente votre contrefacteur comme votre plus grande alliée. C'est elle qui défend votre point de vue au sein de son organisation. Outillez-la donc. Fournissez-lui les documents et les arguments qui l'aideront dans ses démarches internes. Et surtout, évitez de l'humilier ou de nuire à sa carrière.*

Le contrefacteur est une petite entreprise

Vous avez une entreprise de taille moyenne et vous possédez un brevet que vous exploitez. Vous constatez un jour qu'une entreprise qui ne compte que quelques employés et qui en est à ses débuts vend un produit qui contrefait votre brevet.

Voici ce que je recommande.

Il est probable que votre contrefacteur ignore complètement l'existence de votre brevet et que sa contrefaçon soit le fruit du hasard. Cela ne signifie pas qu'il faut le laisser faire. Vous devez faire valoir vos droits même auprès des plus petits que vous. Par contre, adoptez une approche qui, tout en étant ferme, est teintée de compréhension. Informez le contrefacteur de son illégalité et mettez-le en demeure de régulariser sa situation.

Tenez compte du fait que vous êtes en position de force. Évitez d'en abuser. La fermeture de l'entreprise du contrefacteur risque d'être, pour lui comme pour vous, la pire des conclusions. Ce serait un drame pour lui et pour ses proches. De votre côté, vous perdriez l'occasion de faire de l'argent.

Imaginez que vous êtes le gorille de l'exemple précédent, sauf que cette fois, *vous* êtes en face du petit personnage, qui est le contrefacteur. Vous êtes dans votre droit.

Vous devez affronter, néanmoins, d'autres menaces.

Imaginez que le gorille intimide le petit, qui a déjà les mains liées.

Vous risquez peut-être votre réputation. Même si vous n'êtes pas aussi puissant qu'une grande entreprise, face à une petite, vous apparaissez comme tel. L'ensemble des acteurs de votre industrie percevra aussi votre position de force ; un abus de votre position de supériorité risque d'entacher la réputation que vous avez difficilement acquise auprès de vos clients et partenaires.

Alors, au lieu d'être menaçant, le gorille peut paraître conciliant.

En outre, en adoptant une attitude agressive face à votre petit contre-facteur, vous risquez de passer à côté d'une opportunité d'affaires. Même s'il est plus petit que vous, considérez-le comme un partenaire d'affaires potentiel. Voyez comment il peut vous être utile. Analysez la possibilité de lui vendre une licence selon des conditions qui corres-pondent à ses moyens. Donc, au lieu de perdre votre temps à vouloir lui faire cesser toute activité liée à votre brevet, négociez de nouveaux revenus.

Ici, le gorille se présente comme un partenaire d'affaires inespéré pour le petit personnage.

Qui vous dit que la petite entreprise ne deviendra pas un jour une grande entreprise, un leader dans son domaine ? Vous verriez alors vos revenus augmenter, en plus d'avoir participé à un succès commercial.

Le gorille se félicite alors de son approche conciliante.

> *ATTENTION !*
>
> *Assurez-vous qu'une licence généreuse ne nuira pas à vos activités actuelles et futures. Demeurez équitable envers vos autres licenciés. Une condition avantageuse pour votre licencié doit avoir des limites claires, que ce soit sur le plan des unités touchées, ou dans le temps, ou encore en ce qui a trait à votre pouvoir de l'annuler à votre convenance. À vous de déterminer ces limites.*

Le contrefacteur est une moyenne entreprise

Vous avez une entreprise de taille moyenne et vous possédez un brevet que vous exploitez. Vous constatez un jour qu'une autre entreprise vend un produit qui contrefait votre brevet. Cette entreprise est de la même taille que la vôtre.

À mon avis, c'est la sorte de contrefaçon la plus compliquée à aborder. L'approche à privilégier doit être adaptée à votre situation d'affaires et au profil de votre contrefacteur.

Vous faites face à un gorille de la même taille que vous.

Plus question ici de réputation entachée, de force inégale ! Il est question de droits bafoués et de faculté de se défendre.

Vous forcez le contrefacteur à se retirer du marché

Votre contrefacteur est peut-être un compétiteur encombrant avec qui vous croisez le fer depuis longtemps, et sa contrefaçon prend l'allure de l'argument que vous attendiez pour l'affaiblir, voire l'éliminer.

Vous exigez qu'il cesse toutes ses activités couvertes par votre innovation brevetée. Il fait face à une menace de poursuite judiciaire qui pourrait lui coûter cher.

En fait, maintenant, le lion protège le gorille d'un autre gorille.

En plus de perdre ce qu'il a investi dans le développement et la mise en marché de sa contrefaçon, votre compétiteur vous laisse la voie libre en ce qui a trait à vos propres affaires.

Vous vous donnez accès à un nouveau marché

Le contrefacteur œuvre dans un autre marché que le vôtre qui ne vous intéresse pas. Votre brevet et sa contrefaçon vous donnent une nouvelle possibilité, celle de gagner de l'argent sans trop d'efforts. Vous cherchez à transformer votre contrefacteur en un partenaire d'affaires.

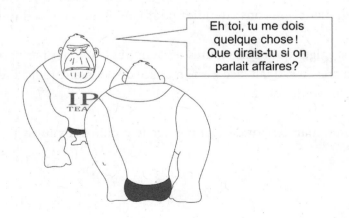

Évaluez vos chances de régulariser la situation du contrefacteur en lui offrant une licence. Celle-ci peut se limiter à son marché. Elle vous assurera de nouveaux revenus sans pénaliser vos activités courantes.

Vous vous donnez accès à de nouvelles technologies

Supposons que le contrefacteur est une entreprise innovatrice qui possède des technologies qui vous intéressent. La contrefaçon vous offre la chance de mettre la main sur celles-ci.

En contrepartie d'une entente de licence qui régularise la situation du contrefacteur, négociez votre accès à ses technologies. Vous grossissez ainsi votre portefeuille de propriété intellectuelle (ainsi que la valeur de votre entreprise).

L'approche à privilégier dans le cas d'une contrefaçon commise par une entreprise dont la taille est similaire à la vôtre varie selon la situation. Une chose est sûre : avant d'en faire un ennemi, voyez comment le contrefacteur peut devenir un allié.

Étudiez la façon dont vous pouvez améliorer vos affaires grâce à la participation de votre contrefacteur. La formule gagnant-gagnant est à privilégier. Lorsque vous avez une entente de licence et que le licencié prospère en vendant davantage de produits, vous prospérez aussi. Ce n'est plus votre ennemi, c'est votre allié.

Si la négociation semble devoir échouer, montrez votre détermination à faire valoir vos droits devant les tribunaux. Si vous sentez que votre contrefacteur manque de connaissances dans le domaine, informez-le des droits et des réalités concernant la possession d'un brevet. Faites-lui connaître la force de vos ressources et celle de vos partenaires.

S'il résiste toujours et qu'il fait la sourde oreille, passez à l'action et sortez l'artillerie. Entamez les procédures judiciaires qui s'imposent. Ou bien il révisera sa position et désirera s'entendre avec vous, ou bien il le paiera cher lorsqu'un jugement sera rendu en votre faveur.

> *ATTENTION !*
>
> *Sachez que l'orgueil n'a pas sa place dans les négociations. Il se peut que vous ayez à reculer sur certains points. Vous permettrez ainsi qu'une situation difficile se dénoue. Évitez les comportements émotifs et les emportements ; ils trahissent de la faiblesse et risquent de vous rendre vulnérable tout en irritant votre interlocuteur.*

Les moyens de défense du contrefacteur

Il est vrai que, à titre de propriétaire de brevet, vous avez des droits qui sont bafoués lorsque quelqu'un d'autre que vous utilise sans votre permission l'invention couverte par votre brevet.

Attendez-vous à ce que le contrefacteur utilise, lorsqu'il recevra votre mise en demeure, tous les moyens qui sont à sa disposition pour éviter de vous payer quoi que ce soit.

Voici quelques moyens originaux auxquels il risque de recourir.

Le contrefacteur nie l'évidence

Votre contrefacteur conteste la contrefaçon; montrez-lui qu'il a bien commis ce délit. Soyez aussi convaincant que possible: une démonstration probante se fonde sur des faits vérifiables, techniques et précis.

Faites-vous seconder par un bon agent de brevets et assurez-vous que vos arguments concordent avec les revendications décrites dans votre brevet.

Ne soyez pas surpris si votre contrefacteur nie sa faute jusqu'à la fin. Malgré cela, poursuivez votre démonstration et maintenez vos exigences.

Le contrefacteur contre-attaque

Disons que vous êtes manufacturier et que votre contrefacteur a des brevets. Il cherche par tous les moyens à montrer qu'un de vos produits contrefait un des siens qui est breveté. Résultat: il vous rend la pareille en exigeant que vous régularisiez votre situation. Il vous fait la démonstration de cette contrefaçon potentielle. Écoutez attentivement cette allégation et évaluez sa gravité.

N'oubliez pas que votre contrefacteur se défend et qu'il tente parfois l'impossible. Dites-vous que c'est légitime de sa part. Mais cela ne veut pas dire qu'il a raison. Vous êtes peut-être un contrefacteur sans le savoir; vous ne l'êtes peut-être pas. Dans tous les cas, vous avez à vous défendre de la même façon que votre contrefacteur.

Le contrefacteur tente d'invalider votre brevet

Votre contrefacteur cherche un vice de procédure dans votre processus de prise de brevet, d'où l'importance de la rigueur de vos équipes et de la compétence de l'agent de brevets qui a rédigé les revendications décrites dans votre brevet.

Si votre contrefacteur allègue qu'il détient un élément capable d'invalider votre brevet, demandez à voir cette preuve. S'il refuse, ne le prenez pas au sérieux et poursuivez vos démarches comme si de rien n'était. Par contre, s'il la produit, analysez-la sérieusement.

Attention, ne vous avouez pas vaincu! Souvenez-vous que des experts ont étudié, analysé et conclu que vous aviez le droit d'avoir un brevet. Son invalidation est donc difficile: votre contrefacteur a beaucoup de travail et d'investissement à faire avant de pouvoir y parvenir. Aussi puissant soit-il, il cherche à payer le minimum. Entamer des procédures d'invalidation est risqué, le résultat est incertain, et le processus coûte cher.

Enclencher de telles procédures constitue souvent sa dernière option. C'est d'autant plus vrai si vous couvrez plusieurs territoires, car la procédure doit être enclenchée indépendamment dans chacun des territoires où vous avez déposé un brevet.

En même temps, puisqu'un risque existe toujours concernant la validité d'un brevet, vous avez, vous aussi, avantage à vous entendre avec lui. Encore une fois, la clé pour résoudre le problème, c'est la négociation.

Comment se défendre quand on a un brevet?

Dans les chapitres précédents, je vante les vertus commerciales du brevet. Ce dernier ouvre la porte à de nombreuses opportunités d'affaires, et ce, du fait qu'il permet à son propriétaire d'imposer à quiconque désire utiliser son innovation brevetée de traiter avec lui.

Eh bien ! si cela est vrai pour vous, c'est tout aussi vrai pour un autre détenteur de brevet. Vous constituez alors une opportunité d'affaires pour cette personne. Eh oui ! parfois, vous êtes dans la mire d'un autre propriétaire de brevet, que vous le vouliez ou non. Dans une telle situation, un brevet peut se transformer en arme défensive. Je m'explique.

Supposons que vous ayez adopté une politique de prise de brevets. Vous entretenez annuellement ceux-ci. Vous possédez donc un portefeuille de brevets. En cas de contrefaçon, vous pouvez le mettre à profit.

Vous recevez une mise en demeure pour contrefaçon et vous constatez que l'accusation est fondée.

La première chose à faire, c'est d'analyser les produits de votre adversaire. Il est toujours possible qu'un produit vendu par l'entreprise qui vous poursuit contrefasse un de vos brevets.

Si c'est le cas, dites-vous que vous avez trouvé de quoi vous défendre. Vous répondrez en transmettant à votre adversaire une mise en demeure semblable à celle que vous avez reçue.

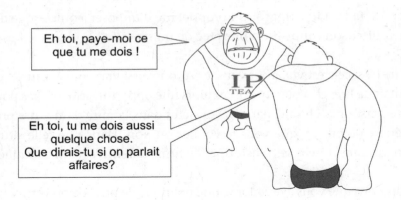

Vous vous retrouvez à la table de négociations beaucoup mieux outillé pour assurer votre défense. Votre adversaire a aussi un problème à résoudre. Le but, maintenant, c'est de trouver une entente qui règle la situation à la satisfaction des deux parties.

Souvent, cette entente prend la forme d'une licence croisée. Il s'agit, en quelque sorte, d'une entente qui permet à chacune des parties d'utiliser légalement l'invention de l'autre partie.

Cette licence favorise les deux parties. Chacune recueille les avantages de l'innovation de l'autre. Chacune bonifie son portefeuille de propriété intellectuelle. Et chacune augmente la capacité de se défendre face à une autre mise en demeure, toujours possible.

Il va de soi que, en matière de contrefaçon, les deux parties veulent éviter que la situation dégénère en conflit juridique. Si chacune joue bien son jeu, cette situation risque de se solder par une entente gagnant-gagnant. Vous économisez alors temps et argent, et peut-être même vous sauvez votre entreprise.

Une contrefaçon :
une cause à défendre

Mes négociations avec un certain contrefacteur stagnaient. Je n'arrivais pas à le faire rasseoir à la table de négociations. Mais je voulais éviter un conflit juridique avec lui et j'espérais encore arriver à une entente négociée. C'est alors que j'ai appris qu'une institution canadienne s'apprêtait à acheter ce produit qui contrefaisait mon brevet canadien. J'ai immédiatement envoyé une mise en demeure à cet acheteur et je l'ai sommé de régulariser la situation du produit avant qu'il ne l'achète afin qu'il puisse l'utiliser en toute légalité. Ai-je besoin de vous dire que je n'ai eu que quelques jours à attendre avant d'entendre parler du contrefacteur et que les négociations reprennent?

Qui peut être un contrefacteur?

Vous croyez que le manufacturier qui fabrique un produit en contrefaçon est l'unique contrefacteur. Eh bien, détrompez-vous! La contrefaçon implique beaucoup plus de monde.

Quiconque utilise votre innovation brevetée sans votre autorisation est un contrefacteur.

En fait, tous les intervenants impliqués dans la chaîne commerciale, toutes les personnes ou entreprises qui réalisent des activités liées à la fabrication, à l'importation, à la vente — et même à l'utilisation — de la contrefaçon sont des contrefacteurs.

L'entreprise manufacturière qui fabrique ou qui fait fabriquer un produit intégrant une innovation brevetée est un contrefacteur.

Le sous-traitant qui fabrique ou qui assemble un produit intégrant une innovation brevetée est un contrefacteur, même lorsqu'il le fait pour quelqu'un d'autre.

Qu'il soit importateur, agent ou distributeur, quiconque exploite sans en avoir le droit un produit intégrant une innovation brevetée est un contrefacteur.

Celui qui utilise sans permission un produit intégrant une innovation brevetée est un contrefacteur.

Il faut comprendre que l'argent généré par la fabrication, l'importation, la représentation, la distribution, la revente ou l'utilisation d'une contrefaçon est gagné aux dépens du propriétaire du brevet. Celui-ci subit des préjudices et peut poursuivre en justice chacun des contrefacteurs, individuellement.

Les qualités d'une bonne cause

Toutes les causes de contrefaçon ne sont pas dignes d'intérêt. Lorsque votre brevet est contrefait, évaluez la qualité de la contrefaçon en question avant de vous emballer.

Posez-vous **3 questions** :

• La contrefaçon est-elle réelle ?

• Le brevet est-il solide ?

• La contrefaçon représente-elle un bon potentiel financier ?

La contrefaçon est-elle réelle ?

Un produit contrefait un brevet lorsqu'il intègre l'innovation couverte par le brevet. Si cet énoncé semble très simple, son application peut être plus complexe. Voici un exemple.

Vous avez breveté un verre à eau. La revendication décrite dans votre brevet se lit comme suit : un réservoir cylindrique fixé à un support. Voici comment vous avez représenté votre invention :

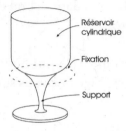

Différents types de verre à eau sont vendus sur le marché.

Parmi les trois verres suivants, un seul constitue une contrefaçon. Lequel ?

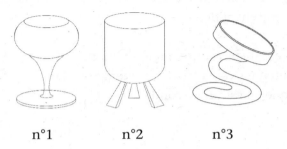

n°1   n°2   n°3

Le n°1 n'est pas une contrefaçon. Il a un réservoir fixé à un support tel que décrit dans votre brevet, mais ce réservoir n'est pas cylindrique. Selon votre brevet, le réservoir doit être cylindrique.

Le n°2 n'est pas une contrefaçon. Il a un réservoir cylindrique tel que décrit dans votre brevet, mais il est fixé à trois supports.

Le n°3 est une contrefaçon. Malgré sa forme incongrue, il a un réservoir cylindrique fixé à un support. C'est exactement ce que vous avez breveté.

Le dessin que l'on trouve sur le brevet est une représentation graphique de ce qui est breveté, mais il ne constitue pas le brevet en lui-même. Ce sont les revendications décrites dans le brevet qui décrivent officiellement l'innovation brevetée.

Un brevet est rédigé dans un style juridique. Lorsque vous analysez une contrefaçon, il est donc sage que vous soyez secondé par un agent de brevets.

Le brevet est-il solide ?

Malgré la rigueur qui caractérise le processus de prise de brevet, malgré la compétence de l'agent de brevets, malgré l'analyse des bureaux de brevets, malgré la délivrance d'un brevet, il existe toujours un risque que le brevet soit invalide.

Cela dit, votre rigueur est une première forme de garantie de solidité du brevet. L'étendue de votre recherche d'antériorité ou d'une divulgation publique en est une seconde.

Vérifier la force d'un brevet est un *work in progress*. Durant toute la vie de votre brevet, demeurez attentif aux brevets que vous découvrez et qui pourraient représenter un art antérieur au vôtre.

Soyez vigilant face aux documents que vous découvrez et qui pourraient constituer une divulgation publique de votre brevet.

Avec ces garanties, votre brevet est assez solide et devrait « résister » à une menace éventuelle.

La contrefaçon représente-t-elle un bon potentiel financier ?

Chaque contrefaçon cause un préjudice financier au propriétaire du brevet concerné. Votre cause est bonne lorsqu'elle présente un bon potentiel financier.

Comparez le préjudice encouru à cause de la contrefaçon à celui qui est subi par le propriétaire d'un terrain sur lequel des personnes s'installent sans son autorisation ; lorsqu'il y a des squatteurs, quoi !

Face au squatteur, le propriétaire du terrain analyse la situation et décide si, oui ou non, il fera appel à la justice.

Les conséquences du « squattage » sont différentes selon que le squatteur est un itinérant qui fait juste un petit feu de temps à autre, ou un villégiateur qui installe sa roulotte, ou encore une entreprise qui construit une usine.

Un itinérant s'installe.

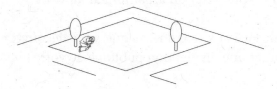

Un itinérant est souvent sans le sou. Il n'y a donc pas d'argent à faire avec cette utilisation illégale du terrain. Dans ce cas, le propriétaire se contente souvent de s'assurer que le fautif ne fait pas trop de grabuge ou ne fait pas diminuer la valeur du terrain. À la limite, le propriétaire tolère la présence du squatteur et n'entreprend aucune démarche.

Un villégiateur s'installe.

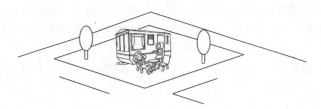

La situation d'un villégiateur est variable. Et selon la richesse, l'intention de celui-ci de demeurer ou non sur le terrain, et d'autres critères, le propriétaire prend ou non action. Cependant, quelle que soit la situation du villégiateur, le propriétaire tente de régulariser la situation. Il prend garde de ne pas créer de précédent qui limiterait ses droits d'utiliser, de louer ou de vendre son terrain. Le villégiateur est parfois toléré, mais le propriétaire du terrain le garde toujours à l'œil.

Une usine s'installe.

Le propriétaire d'usine est normalement fortuné et les effets d'une utilisation illégale du terrain peuvent être importants. Donc, dans le cas de l'usine, le propriétaire du terrain entreprend des démarches importantes pour faire valoir ses droits : le propriétaire de l'usine fait de l'argent en utilisant illégalement le terrain. Le propriétaire du terrain tente de régulariser la situation à l'amiable mais, devant un refus, il n'hésite pas à recourir à la police et à forcer l'entreprise à lui payer un loyer ou à quitter les lieux en réparant les dégâts.

En ce qui concerne la contrefaçon d'un brevet, c'est un peu la même chose.

Que quelques individus utilisent votre innovation de façon sporadique et pour leurs besoins personnels vous cause probablement peu ou pas de préjudices. Ils n'ont que peu d'argent, et leur présence ne vous nuit pas vraiment. Il n'y a pas d'argent à faire avec cette cause.

Une organisation dont la contrefaçon ne touche que quelques unités par année vous cause peu ou pas de préjudices. L'entreprise dispose peut-être d'un peu d'argent mais, considérant le peu de préjudice subi, elle n'offre qu'un faible potentiel de revenus qui ne compensera pas les frais engagés par des démarches judiciaires. Il n'y a pas d'argent à faire avec cette cause. Mais attention ! informez le contrefacteur de son illégalité. Tentez de trouver un moyen de régulariser sa situation. Ce moyen ne doit en aucun cas limiter vos droits d'utiliser votre brevet, de donner une licence à quelqu'un d'autre ou de vendre votre brevet.

Par contre, lorsque vous faites face à une organisation dont la contre-façon touche un grand nombre d'unités et que la valeur de l'innova-tion est grande, évaluez l'ampleur financière de la contrefaçon. Lorsqu'elle représente plus de revenus que de dépenses, elle constitue une cause valable.

Comment financer votre cause?

Vous avez en main une cause de contrefaçon et elle présente un bon potentiel financier. Vous avez tout tenté pour parvenir à une entente négociée avec le contrefacteur. En vain.

Vous voulez passer à l'action et le poursuivre en justice. Mais voilà le problème : vous n'avez pas les ressources financières requises pour en-tamer une telle poursuite judiciaire. Qu'à cela ne tienne! Avant de lais-ser tomber, étudiez la possibilité de financer votre cause.

Partez à la recherche d'un partenaire. Il en existe davantage que vous ne le croyez. Ils sont diversifiés et présentent tous un intérêt certain.

Qui sont-ils? Voici quelques pistes.

Le financement conventionnel

Vous avez un partenaire financier qui vous connaît bien et qui vous fait confiance. Vous avez bien effectué votre travail de diligence de la contrefaçon et d'évaluation de votre brevet. Votre banquier est confiant, et il accepte de vous prêter l'argent qui vous manque pour faire valoir vos droits et recueillir ce qui vous est dû.

Un conseiller juridique

Les honoraires constituent la majeure partie des frais liés à une action en justice. Pourquoi ne pas envisager de vous associer avec votre conseiller juridique ? Votre cause est solide, et les gains anticipés sont intéressants. Il connaît bien votre dossier et est à même d'en apprécier le potentiel financier. En échange d'un partage négocié du gain anticipé, il peut vouloir devenir votre partenaire dans cette affaire.

Une firme spécialisée

Il existe des firmes spécialisées dans ce type de cause. Pourquoi ne pas vous adjoindre l'une d'elles ? Sélectives, ces firmes étudient en profondeur le potentiel financier de telles causes. Lorsque l'une de celles-ci est bonne et qu'elle représente un gain important, cette firme devient votre principale alliée. Elle fera tout en son pouvoir pour arriver à un résultat payant.

Préparez-vous, par contre, à perdre une bonne partie du leadership. Qu'à cela ne tienne, payez la firme au pourcentage, ainsi votre risque sera calculé. De plus, comme c'est une professionnelle de ce type de problème, elle saura mener cette aventure juridique mieux que vous ne pourriez le faire vous-même. Armez-vous de patience et soyez disponible pour l'aider dans ses démarches.

Un partenaire financier

Vous pouvez vous adjoindre un partenaire financier (un investisseur, une société de capital-risque, etc.) avec qui vous partagerez vos gains.

Cette voie exige que vous vendiez une partie de votre entreprise. Cela représente un gros sacrifice pour un entrepreneur. Alors, il faut vraiment que la cause soit bonne et que vous n'ayez pas d'autre choix.

ATTENTION !

Considérez qu'il faut se donner les moyens de ses ambitions. La recherche d'un partenaire financier exige toujours des compromis. Il se peut que vous ne soyez pas prêt à vous plier à cela. C'est votre droit légitime. Vous n'avez alors pas d'autre choix que de revoir vos ambitions à la baisse. Cela peut aussi être acceptable.

Dans le domaine financier, comme dans plusieurs domaines du monde des affaires, on n'est jamais sûr de rien. Mais, lorsqu'on prépare bien son dossier, que celui-ci s'appuie sur des faits et que vous, l'entrepreneur, avez confiance, les chances de convaincre un partenaire de vous suivre sont bonnes.

Comment un contrefacteur évite de payer

Je vous ai dit et redit qu'une contrefaçon représentait une bonne nouvelle. C'est le contrefacteur qui a un problème, qu'il doit idéalement résoudre avec le propriétaire du brevet.

Cela dit, sachez qu'un manufacturier coupable de contrefaçon a des moyens d'éviter de payer quoi que ce soit au propriétaire du brevet.

Imaginons qu'un manufacturier contrefait une innovation que vous avez brevetée. Vous le mettez en demeure de vous payer une somme d'argent et de cesser immédiatement de l'utiliser. Vous pensez qu'il n'a pas d'autre choix que d'acquiescer à votre demande, puisque vous avez un brevet.

Ce n'est pas vraiment le cas.

Lorsqu'il a intégré votre innovation dans son produit, le contrefacteur ignorait peut-être l'existence de votre brevet. C'était peut-être pour lui une bonne solution, sans plus.

Pour éviter de vous payer quoi que ce soit, il analysera les coûts de rappel, de perte d'inventaire et de remplacement des unités en circulation. Il comparera ces coûts à ceux qu'impliquent vos exigences. Il choisira la plus économique des deux options.

Pour éviter de vous payer quoi que ce soit pour les futures unités, il étudiera la possibilité d'éliminer la partie de son produit couverte par votre brevet. Il évaluera le risque de perdre des clients en raison d'une telle action. Si ces risques sont minimes, il choisira cette option.

En fait, considérez votre innovation brevetée comme une possibilité parmi d'autres. C'est à vous de faire en sorte que votre innovation soit la solution la plus intéressante. C'est une question de force technologique, d'avantage commercial, de prix et, naturellement, de négociation.

Le brevet et la licence

Comment tirer le maximum de la licence ?

Vous avez une innovation brevetée et vous voulez donner à d'autres le droit de l'utiliser. Vous le faites en signant des ententes de licence. Maintenant, comment tirer le maximum de celles-ci ?

Plusieurs considèrent le brevet comme un tout indivisible. Son propriétaire limite alors son offre à une licence universelle identique pour tous les licenciés. Chacun de ceux-ci peut entreprendre n'importe quelle activité liée au brevet, sans aucune restriction.

Cette approche plaît par sa simplicité. Le propriétaire du brevet n'a qu'un type de licence à gérer. J'irais jusqu'à dire qu'il économise les honoraires professionnels nécessaires à l'écriture de plusieurs licences. Ici s'arrêtent les avantages.

Cette approche ne permet pas de tirer le maximum du potentiel commercial de la licence. Celle que je privilégie consiste à offrir des licences sur mesure. Je m'explique.

Compartimenter le brevet

Puisqu'un brevet peut être vu comme un immeuble, voyons comment cela s'applique dans le cas d'une licence sur mesure.

Le propriétaire d'un immeuble peut utiliser exclusivement ce bien pour y réaliser ses propres activités.

Le propriétaire d'un brevet peut conserver l'exclusivité de ce bien et l'appliquer à ses propres produits.

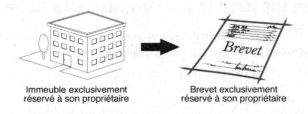

Immeuble exclusivement
réservé à son propriétaire

Brevet exclusivement
réservé à son propriétaire

On peut posséder des immeubles dans plusieurs pays.

On peut posséder des brevets dans plusieurs pays.

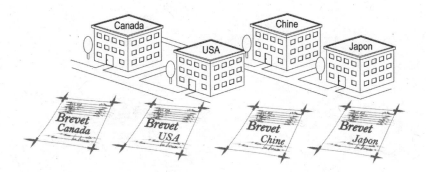

Pour chaque locataire, on peut limiter l'utilisation de chaque étage d'un immeuble à une activité spécifique.

Pour chaque licencié, on peut limiter l'utilisation d'un brevet à une activité spécifique (p. ex. : fabrication, vente, importation).

On peut compartimenter chaque étage d'un immeuble en plusieurs espaces et limiter le droit du locataire d'un espace à y exécuter des activités liées uniquement à un secteur d'activité donné.

On peut compartimenter un brevet et limiter le droit du licencié à y exécuter des activités liées uniquement à un secteur d'activité donné (santé, éducation, domaine militaire, télécommunications).

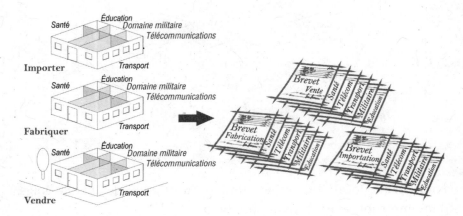

La compartimentation de l'immeuble s'applique dans chaque pays où se trouve un immeuble.

La compartimentation du brevet s'applique dans chaque pays où il a été déposé.

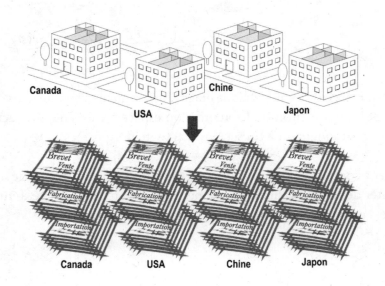

Maintenant que le concept de compartimentation est compris, appliquons-le à la licence de manière à maximiser ses retombées.

Cela se fait par l'élaboration d'une carte de droits, qui est ensuite offerte à ceux qui sont intéressés par une licence.

Une carte de droits

Une carte de droits est en quelque sorte une liste de droits que le propriétaire d'un brevet rend disponible à une personne intéressée par une licence. Celle-ci peut alors sélectionner les droits qui l'intéressent. Voyons comment cette approche se présente.

Pour élaborer une carte de droits, le propriétaire du brevet doit d'abord dresser la liste des grandes catégories de droits liés au brevet. Les plus courantes sont :

• l'utilisation (qui sera autorisée) ;

• l'industrie (dans laquelle l'utilisation sera autorisée) ;

• le territoire (sur lequel l'utilisation sera autorisée).

Dans chaque catégorie, il précise les droits qu'il désire partager. Voici un exemple :

Utilisation	*Industrie*	*Territoire*
• Droit de fabriquer	• Télécommunications	• Canada
• Droit de vendre	• Transport	• États-Unis
• Droit d'importer	• Milieu médical	• Japon
	• Éducation	

Ensuite, il attribue à chacun des droits une valeur de royautés par unité du produit touché par la licence.

Utilisation		*Industrie*		*Territoire*	
• Droit de fabriquer	3 $	• Télécommunications	5 $	• Canada	2 $
• Droit de vendre	2 $	• Transport	1 $	• États-Unis	8 $
• Droit d'importer	1 $	• Milieu médical	7 $	• Japon	6 $
		• Éducation	2 $		

On obtient alors une carte des droits qui peut ressembler à ceci :

Utilisation	$		Industrie	$		Territoire	$	
Droit de fabriquer	3		Télécommunications	5		Canada	2	
Droit de vendre	2		Transport	1		États-Unis	8	
Droit d'importer	1		Milieu médical	7		Japon	6	
			Éducation	2				

Dans cette carte des droits, le futur détenteur de licence sélectionne les droits qu'il désire obtenir dans chaque catégorie. Il choisit un type d'**utilisation** qu'il aura le droit de faire dans une **industrie** et sur un **territoire** donnés.

Supposons qu'il désire *fabriquer* des produits pour l'industrie du *transport* au *Canada*. Il sélectionnera ainsi ses droits :

Utilisation	$		Industrie	$		Territoire	$	
Droit de fabriquer	3	✔	Télécommunications	5		Canada	2	✔
Droit de vendre	2		Transport	1	✔	États-Unis	8	
Droit d'importer	1		Milieu médical	7		Japon	6	
			Éducation	2				

Son taux de royautés sera alors de 6 $ l'unité (3 $ + 1 $ + 2 $).

S'il désire *fabriquer* des produits pour l'industrie des *télécommunications* aux *États-Unis,* il sélectionnera ainsi ses droits :

Utilisation	$		Industrie	$		Territoire	$	
Droit de fabriquer	3	✔	Télécommunications	5	✔	Canada	2	
Droit de vendre	2		Transport	1		États-Unis	8	✔
Droit d'importer	1		Milieu médical	7		Japon	6	
			Éducation	2				

Son taux de royautés sera alors de 16 $ l'unité (3 $ + 5 $ + 8 $).

À vous, maintenant, de rédiger votre carte de droits. Elle doit être à l'image de vos besoins et de vos objectifs.

L'exclusivité du droit

Les similitudes entre la gestion d'un immeuble et celle d'un brevet sont nombreuses. Par contre, une distinction importante s'impose.

Dans un immeuble, le partage d'un même local par plus d'un locataire est plutôt difficile. Les locataires se marcheraient sur les pieds. C'est pourquoi, la plupart du temps, un local est loué en exclusivité.

Dans le cas d'un brevet, le partage d'un même droit à plus d'un détenteur de licence est tout à fait naturel. Le détenteur de licence n'y voit que peu ou pas de problème. L'exclusivité d'un droit est considérée comme un privilège, et tous s'entendent pour attribuer une valeur à ce privilège.

Un détenteur de licence peut être intéressé par l'exclusivité. Ici encore, l'approche de la carte de droits peut s'appliquer. Le détenteur de licence intéressé peut choisir les exclusivités qu'il convoite. Un montant d'argent est associé à chacune de celles-ci. Il peut s'agir d'un montant fixe, ou annuel, ou à l'unité, etc.

Supposons que, pour chaque exclusivité, vous exigez 100 000 $ par an. Le détenteur de licence qui s'intéresse au droit exclusif de *fabriquer* des produits dans le secteur du *transport* au *Canada* débourse 100 000 $ par an, plus les royautés unitaires.

S'il s'intéresse au droit exclusif de *fabriquer* des produits dans le secteur de l'*éducation* au *Canada*, il débourse 100 000 $ de plus par an, plus les royautés unitaires.

Plus le détenteur de licence exige d'exclusivités, plus il devra verser une somme d'argent importante au propriétaire du brevet.

Voilà comment on peut maximiser le potentiel des ententes de licence.

> ### ATTENTION !
>
> N'oubliez jamais qu'une bonne entente est une entente qui fait en sorte que les deux parties soient gagnantes. Le futur détenteur de licence négociera avec vous. Faites preuve d'ouverture selon qu'il anticipe plus ou moins de ventes d'unités couvertes par le brevet ou qu'il émet d'autres arguments pertinents. Il vous appartient de montrer la flexibilité appropriée afin d'obtenir les meilleures conditions de licence possibles. Ces conditions doivent répondre autant à vos objectifs qu'à ceux de votre détenteur de licence.

En vous présentant les droits à la carte, j'ai voulu mettre en lumière le fait que l'exclusivité garantie par le brevet peut se compartimenter en une multitude de droits et que, à chaque droit que le propriétaire d'un brevet octroie, il faut associer une valeur financière.

Mon but ultime est de vous outiller le mieux possible afin que vous puissiez tirer parti au maximum de vos ententes de licence. Cela dit, c'est une méthode parmi bien d'autres. À vous de voir si elle vous convient.

Les avantages de cette approche pour le propriétaire du brevet

Grâce à cette approche, le propriétaire peut conserver certaines exclusivités relatives à ses propres activités et offrir la « balance » en location. En d'autres termes, il poursuit ses activités exclusivement tout en retirant, en plus, des revenus de royautés.

En outre, en présentant un brevet comme une carte de droits, il se dote d'arguments quantifiables pour négocier à la hausse le taux de royautés qu'il exige des détenteurs de licence. Lorsque le détenteur d'une licence fait face à un vaste choix d'utilisations, de territoires ou de secteurs d'activités, il prend conscience de la valeur de ce qu'il est en train de demander.

L'avantage de cette approche pour celui qui est intéressé par une licence

Cette approche sélective présente aussi un avantage pour le licencié. Celui-ci limite ses royautés à l'utilisation, au secteur ou au territoire dont il a besoin. Il ne paie pas pour des droits dont il n'a pas besoin. Il économise.

ATTENTION !

Vous avez un détenteur de licence gourmand. Il veut tout exclusivement. Qu'à cela ne tienne ! Dites-vous que plus il est gourmand, plus le taux de royautés est élevé. Dites-vous aussi qu'un seul client est plus facile à gérer qu'un millier. Il y a donc des avantages à traiter avec un seul détenteur de licence.

Doit-on signer une entente de licence avec un compétiteur ?

Quelle position défendez-vous en ce qui a trait au partage de votre innovation brevetée avec un compétiteur ? Laissez-moi tenter de répondre. Je gage que l'idée du partage ne vous enchante pas !

Vous pensez qu'éliminer un compétiteur vous permet de faire plus d'argent. C'est souvent le cas.

Vous pensez qu'un compétiteur est un adversaire qu'il faut éliminer à tout prix. Cela n'est pas toujours le cas.

Un compétiteur possède probablement une part de marché que vous convoitez. Son élimination augmenterait donc certainement vos chances de prendre cette part de marché.

Toutefois, certaines situations peuvent contredire ces certitudes. Malgré l'existence de votre brevet, un compétiteur peut être difficile, voire impossible, à déloger. De plus, il y a toujours le risque que, malgré sa disparition, ses clients n'achètent pas vos produits.

Conclusion : si vous ne pouvez éliminer votre compétiteur ou si la tâche est trop incertaine, n'hésitez pas à en faire un allié !

Comment ? Proposez-lui une licence qui lui permettra d'offrir à ses clients un meilleur produit, qui intégrera votre innovation brevetée.

En acceptant de signer une entente de licence, faute d'éliminer votre compétiteur, vous le transformez en client.

Vous n'êtes pas encore convaincu ?

Souvenez-vous qu'une bataille demande énergie et argent. C'est peu constructif et, souvent, il n'y a que des perdants. Lorsque votre compétiteur est intéressé par votre innovation, au lieu de vous battre contre lui, considérez-le comme un client potentiel. Il veut vous acheter quelque chose. Il veut vous acheter le droit d'utiliser votre invention.

Avant de dire non, calculez ce qui est le plus rentable pour vous. Lorsque vous ne pouvez conquérir les clients de votre compétiteur avec votre produit unique ou lorsque vous n'avez pas les ressources nécessaires à la conquête de nouveaux clients, marchés ou territoires, et que votre compétiteur dispose de ces ressources, il devient une voie intéressante à utiliser. Cette voie peut vous permettre d'augmenter vos revenus avec un minimum d'efforts. C'est votre compétiteur qui se tape le travail (que vous n'avez, de toute façon, pas le temps de faire), et vous recueillez une partie des bénéfices. Avouez que cela présente un certain intérêt !

Comment un manufacturier contourne-t-il un brevet ?

Il y a quelques années, j'ai décidé d'offrir aux manufacturiers québécois le droit d'utiliser une de nos innovations brevetées qui, selon nous, était unique et représentait la seule solution à un problème que nous avions cerné. J'ai donc entamé une tournée des clients potentiels. Le premier que j'ai rencontré a écouté poliment mon exposé. J'étais convaincue de l'unicité de notre innovation, alors quelle n'a pas été ma surprise de m'entendre dire par mon interlocuteur qu'il était d'accord avec moi, mais que ses clients préféraient, selon lui, vivre avec le problème en question et payer le moins cher possible! C'était un point auquel je n'avais pas pensé. Un autre client, lui, m'a écoutée tout aussi poliment, avant de m'annoncer finalement qu'il était d'accord avec moi, mais qu'il préférait conserver la technologie qu'il utilisait déjà, même si elle était plus chère que la nôtre, tout simplement parce que c'était une technologie connue et acceptée par l'industrie, et qu'il ne voulait pas courir le risque de la changer, de peur de perdre certains clients conservateurs. Encore une chose à laquelle je n'avais pas pensé. Heureusement pour moi, tous n'ont pas eu de telles réactions.

Vous croyez que votre innovation est extraordinaire. Vous avez probablement raison. Vous croyez qu'elle est la seule possibilité acceptable sur le marché. Là, détrompez-vous!

Sachez qu'une innovation, même brevetée, même utile, même rentable, fait toujours face à des solutions compétitrices.

Dites-vous qu'un manufacturier étudie la possibilité d'intégrer une innovation brevetée lorsque celle-ci améliorerait son produit et surtout augmenterait ses profits. Il fait le même exercice pour l'ensemble des options qui s'offrent à lui. Il accepte de payer les royautés exigées par le propriétaire d'un brevet uniquement lorsque l'innovation brevetée constitue, selon lui, le meilleur choix.

Voici quelques-unes des options dont vous devez tenir compte dans vos négociations de conditions de licence.

Le manufacturier se prive de l'innovation

Lorsqu'un manufacturier s'intéresse à une technologie brevetée, il veut pouvoir l'utiliser légalement et au meilleur prix possible. Un prix est acceptable dans la mesure où les ventes anticipées (ou les profits) justifient le coût de la technologie en question. Lorsque les royautés sont trop élevées, le manufacturier se prive tout simplement de l'innovation.

Exigez des royautés à la hauteur des bénéfices anticipés par le détenteur de licence. C'est parfois à vous de lui prouver la rentabilité de votre technologie brevetée.

> *ATTENTION !*
>
> *Avant de revoir à la baisse vos royautés à cause de l'hésitation ou du refus d'un manufacturier, analysez la situation du marché. Ce manufacturier n'a peut-être tout simplement pas les moyens de payer les sommes requises pour accéder à votre innovation. Cela n'est pas nécessairement le cas des autres manufacturiers.*

Le manufacturier choisit une technologie compétitrice

Il existe toujours des technologies compétitrices. Parfois, elles sont moins performantes que la vôtre ; parfois, elles sont moins chères ; parfois, elles sont très compliquées à implanter, etc. Attendez-vous à ce qu'un manufacturier évalue les avantages de l'ensemble des technologies offertes.

Il arrêtera son choix sur la technologie qui offre le meilleur ratio rendement/coût, celle qui lui permettra de gagner le plus d'argent possible avec un minimum d'investissement.

Votre innovation brevetée peut assurer un rendement technologique hors du commun. Cependant, lorsqu'elle coûte cher ou qu'elle ne génère que de faibles revenus supplémentaires, attendez-vous à ce que le manufacturier retienne une autre technologie.

Le manufacturier développe sa propre technologie

Mettre au point une nouvelle technologie représente un investissement important. C'est pourquoi un manufacturier cherche d'abord à
accéder à une technologie existante qui répond à son besoin. Il veut
économiser temps et argent.

C'est dans cet esprit qu'il accepte de payer les royautés exigées par le
propriétaire d'un brevet.

Toutefois, avant de signer une licence, il évalue le coût du développement d'une solution de rechange. Il compare ce coût à celui de la licence. Lorsque le coût de la licence dépasse celui du développement,
attendez-vous à ce que son choix s'arrête sur le développement de sa
propre technologie.

CHAPITRE

Agent de brevets ou avocat ?

Je suis entrée dans le monde du brevet avec un bagage de préjugés concernant tant l'agent de brevets que l'avocat. Comme entrepreneure, je me tenais loin de ces professionnels, que j'associais davantage aux litiges qu'aux affaires. Ils m'impressionnaient avec leurs bureaux luxueux et leur panoplie de diplômes. Je redoutais surtout leurs honoraires.

Malgré l'ampleur de mes préjugés, j'ai dû me résoudre à avoir affaire à eux. J'avais besoin d'eux pour arriver à mes fins. J'ai vite fait face à un étrange dilemme. Concernant mes brevets, j'ignorais à qui je devais faire appel : à l'agent de brevets ou à l'avocat, ou encore aux deux.

Oui, j'arrivais avec mes préjugés, mais je n'étais pas la seule à en avoir. J'ai constaté qu'autant l'agent de brevets que l'avocat comprenaient difficilement ma réalité d'entrepreneure. Habitués à servir de grandes entreprises, ces professionnels étaient plutôt déconcertés face à ma petite entreprise, à mes ressources limitées, à ma vitesse d'exécution et à mon audace. À leur défense, il faut dire qu'il y a peu d'entrepreneurs qui prennent des brevets et qu'il y en a encore moins qui s'en servent vraiment.

J'ai eu la chance de travailler avec des professionnels compétents qui m'ont témoigné un grand respect et qui ont gagné le mien.

J'ai pensé que vous aimeriez connaître davantage ces professionnels du brevet. C'est donc à titre d'entrepreneure que je vous présente ici ce que je considère être essentiel de savoir. J'espère que vous ferez appel à leurs services au moment opportun, que vous développerez avec eux des rapports harmonieux et, surtout, que vous maximiserez l'investissement que vous aurez à faire.

L'entrepreneur face à l'agent de brevets

Dans vos activités liées à la prise, au maintien et à l'utilisation d'un brevet, vous avez besoin d'un agent de brevets.

L'Institut de la propriété intellectuelle du Canada (IPIC) définit l'agent de brevets en ces mots : « Au Canada, l'agent de brevets agréé est le seul professionnel autorisé en vertu de la *Loi sur les brevets* à représenter un demandeur désireux d'obtenir un brevet auprès du bureau des brevets. »

> ### ATTENTION !
> *Même si ce n'est pas quelque chose que je recommande, vous pouvez vous représenter vous-même auprès du bureau des brevets.*

L'agent de brevets joue un double rôle auprès de l'entrepreneur. C'est le professionnel auquel l'entrepreneur fait appel pour comprendre les droits et les limites du brevet en général, et de son brevet en particulier ; et c'est souvent le professionnel qui le représente auprès du bureau des brevets.

L'agent de brevets intervient enfin à toutes les étapes suivantes :

L'analyse de brevetabilité de l'invention

La rédaction du brevet

La procédure du dépôt et du maintien du brevet

Le dépôt en pays étranger

La menace d'invalidation du brevet

L'évaluation de la force du brevet

La contrefaçon du brevet

L'analyse de brevetabilité de l'invention

Lorsque vous inventez quelque chose, vous devez, en premier lieu, vérifier si votre invention est brevetable. Vous devez préparer une description précise de votre innovation et demander à l'agent de brevets d'analyser sa brevetabilité.

Il voit alors si votre invention répond aux critères de brevetabilité.

CRITÈRES DE BREVETABILITÉ

Pour être brevetable, l'invention doit présenter une nouveauté ; elle doit constituer un avancement technologique et avoir une application réelle.

Il effectue une recherche d'antériorité : il vérifie s'il y a, parmi les brevets existants et autres publications, une invention semblable à la vôtre.

Cette vérification est essentielle. Elle représente souvent beaucoup d'heures de travail, donc des honoraires importants. Lorsque vous avez des ressources compétentes, vous pouvez effectuer cette recherche.

Quel que soit le mandat de l'agent de brevets, ses honoraires peuvent monter rapidement. Je vous conseille de travailler de concert avec lui. Entreprenez vous-même les recherches qui requièrent beaucoup d'heures. Votre agent peut vous indiquer les sources d'informations disponibles, dont les adresses Internet pertinentes, ainsi que quelques trucs de recherche.

Évaluez votre propre niveau de confort face aux risques liés à une potentielle invalidation de votre brevet. Demeurez maître des coûts et mettez fin au mandat de l'agent de brevets dès que vous vous sentez à l'aise.

Au terme de son analyse, l'agent de brevets émettra un avis sur le potentiel de brevetabilité de l'invention en question.

> ### ATTENTION !
>
> Un avis favorable émis par un agent de brevets ne constitue pas une garantie de brevetabilité. Votre invention doit franchir d'autres étapes avant de recevoir officiellement le statut d'invention brevetée.

La rédaction du brevet

L'agent de brevets maîtrise l'art d'écrire un brevet. C'est une bonne raison de faire appel à ses services.

La qualité de rédaction d'un brevet est cruciale. Des revendications mal définies peuvent avoir des conséquences importantes, comme l'invalidité du brevet à cause d'une couverture trop large ou la facilité de contourner le brevet à cause d'une description trop vague.

> **ATTENTION !**
>
> *D'un côté, plus un brevet est large, plus il a de chances de couvrir un grand nombre de produits, et plus il a de chances d'avoir de la valeur. D'un autre côté, plus un brevet est large, plus il risque de couvrir une invention existante, donc d'être invalidé par un art antérieur.*

L'agent de brevets est le mieux placé pour définir les limites de la couverture d'une invention. Il le fait de manière à maximiser la valeur de l'innovation tout en augmentant ses chances d'être brevetée. Faites donc appel à ses services et assurez-vous qu'il adopte cette approche à l'étape de la rédaction.

Ici encore, ses honoraires peuvent être importants. Alors, travaillez avec lui autant que vous le pouvez. Réalisez à l'interne tout ce qui peut être de votre ressort. Répondez rapidement aux demandes qu'il vous fait ; ainsi, il perdra moins de temps, et vous, vous économiserez de l'argent.

La procédure du dépôt et du maintien du brevet

Pour un non-initié, le processus de prise de brevet semble compliqué. C'est la spécialité de l'agent de brevets. Celui-ci en connaît les étapes, les délais et les autres subtilités. Il agit dans ce domaine avec une grande efficacité.

Les dates et les délais comptent énormément en ce qui concerne l'obtention et le maintien d'un brevet. Autant vous assurer qu'ils sont respectés. C'est ce que fait l'agent de brevets. À chaque démarche qu'il entreprend, il demande votre autorisation. Il s'exécute uniquement si vous lui avez donné le feu vert.

À cette étape, les sommes à débourser demeurent abordables et il y a peu d'économies à réaliser.

L'analyse d'une demande par le bureau des brevets soulève parfois des questions, et certaines réclamations sont contestées. C'est l'agent de brevets qui prend en charge la coordination de ces situations. Il sert d'intermédiaire entre le bureau des brevets et vous.

À chaque demande, il sollicite votre participation afin de confirmer les actions à entreprendre. Il vous explique la problématique et vous recommande une solution. Il agit alors selon vos directives.

Puisque chaque cas est unique, les honoraires le sont aussi. Demeurez vigilant. Restez maître de la situation. Exigez une évaluation des heures requises et des chances de réussite. C'est encore à vous de décider si, oui ou non, vous poursuivrez les démarches requises.

Le dépôt en pays étranger

Vous décidez de déposer votre brevet dans plusieurs pays. Votre agent de brevets est, ici encore, très utile. Assurez-vous qu'il fait partie d'un réseau d'agents internationaux. Ainsi, il sera en mesure de vous seconder dans votre processus.

Votre agent sert d'intermédiaire entre les professionnels étrangers dont vous avez besoin (agent, traducteur) et vous. Posez-lui des questions sur les démarches requises dans chaque pays, sur les difficultés que vous risquez de rencontrer et sur les coûts que votre démarche peut susciter.

N'oubliez pas que c'est encore vous qui assumez les risques et les coûts. Gardez en tête que vous pouvez toujours arrêter le processus ; cela, lorsque le risque d'échec est important et que les coûts sont trop élevés.

Durant tout le processus, ne restez pas à l'écart. Soyez au courant des démarches que votre agent exécute et des tâches qu'il remplit. Cela dit, faites attention : l'agent de brevets facture le temps qu'il consacre à votre dossier, y compris les heures passées à vous informer de l'état d'avancement du dossier.

La menace d'invalidation du brevet

La validité de votre brevet est menacée lorsqu'il y a possibilité d'un art antérieur ou d'une divulgation publique.

Faites appel à un agent de brevets lorsqu'il est possible qu'un brevet couvrant votre invention existe déjà. Il analysera les revendications du brevet en question et les comparera à celles de votre brevet. Il produira alors un avis sur le fondement de cette menace.

Faites appel à un agent de brevets lorsqu'il est possible qu'une divulgation publique ait été faite avant le dépôt de votre demande de brevet. Il analysera cette diffusion (son contenu et la date). Il confirmera ou infirmera ce risque.

Dans chaque cas, participez au processus d'analyse. Réservez-vous les tâches que vous vous sentez capable d'accomplir. Gardez un œil sur les heures que l'agent cumule. Arrêtez l'analyse lorsque vous avez obtenu assez d'informations pour évaluer l'ampleur du risque que la menace représente.

L'évaluation de la force du brevet

Pour être fort, votre brevet doit être difficile à contourner : il doit être difficile pour quiconque de trouver une autre façon de réaliser ce que l'innovation brevetée permet de faire.

Je vous recommande de répertorier, avec votre agent de brevets, tous les moyens qui permettent de contourner votre brevet. Ce répertoire des technologies compétitrices et de l'ampleur de la menace qu'elles représentent indique la force de votre brevet.

La contrefaçon du brevet

En cas de contrefaçon de votre brevet, le contrefacteur utilise tous les moyens à sa disposition pour se défendre.

Il conteste vos prétentions de contrefaçon. Votre agent analyse avec vous la contrefaçon en question. Ensemble, vous déterminez si, oui ou non, elle est fondée. Lorsque c'est le cas, vous proposez de rencontrer le contrefacteur. Vous invitez votre agent de brevets à cette rencontre ; il montrera en quoi il s'agit d'une contrefaçon.

Faites aussi appel à votre agent de brevets en cas de menace d'invalidation. Son mandat est de vous donner un avis sur le fondement de ce risque.

Lorsque votre contrefacteur allègue que vos produits sont des contre-façons d'un de ses brevets, faites appel à votre agent de brevets. Son rôle est de vous donner un avis sur le fondement de cette prétention.

L'agent de brevets : trucs et astuces

Au cours de vos premières démarches dans le monde du brevet, inves-tissez dans une consultation de quelques heures avec un agent de bre-vets. Demandez-lui de vous expliquer l'essence du brevet, l'exclusivité qu'il garantit, l'étendue qu'il peut avoir (territoires), etc.

Choisissez votre agent de brevets. Choisissez-le pour ses compétences et son expérience. Vous devez le respecter et avoir confiance en lui ; en retour, il doit vous respecter et avoir confiance en vous. C'est un joueur stratégique dans vos activités liées au brevet. Il faut donc que vous « fit-tiez » ensemble.

Vous consultez votre agent de brevets pour diverses raisons. Durant ces consultations, n'hésitez pas à lui poser des questions jusqu'à ce que vous ayez compris parfaitement l'essentiel. Prenez des notes ; cela vous permettra d'éviter de poser les mêmes questions au moment d'une autre consultation, donc de payer deux fois pour la même information.

Contentez-vous de saisir les concepts qui sont nécessaires à la prise de décision. Laissez-le s'occuper des détails. Ne vous substituez pas à cet expert, mais comprenez ce qu'il fait et pourquoi il le fait.

Préparez vos rencontres. Rédigez clairement vos questions et l'objectif que vous visez. Votre agent de brevets sera alors plus précis dans ses ré-ponses. Vous économiserez plusieurs heures, donc d'importants frais d'honoraires.

Malgré le plaisir tiré de discussions portant sur des aspects personnels, n'oubliez pas que vous êtes facturé à l'heure par votre professionnel. Chaque minute passée à lui parler de vos vacances ou de tout autre sujet qui ne concerne pas le dossier risque de vous être facturée. Autant limiter les échanges au strict minimum permis par les convenances.

Dernier conseil : chaque fois que vous lui confiez un mandat, demandez-lui d'évaluer l'ampleur de son travail. Insistez pour qu'il estime le nombre d'heures requises pour la réalisation de son travail. Vous avez besoin de cette information pour décider de la pertinence du mandat.

Voilà ! j'espère que, grâce à cette lecture, vous êtes mieux outillé et surtout prêt à travailler efficacement avec votre agent de brevets.

L'entrepreneur face à l'avocat

L'avocat n'a pas besoin de présentations. Ce professionnel est connu de tous et craint de plusieurs. Il est nécessaire, pour ne pas dire indispensable, dans le domaine du brevet. Ne le voyez pas comme un adversaire. Il est votre allié.

Cet expert connaît les lois et les jurisprudences. Il a aussi accès à un réseau d'avocats spécialisés et internationaux. Ce sont ces compétences qui vous intéressent.

Dans le domaine du brevet, l'avocat joue deux rôles principaux : il vous conseille au sujet des aspects légaux de chaque situation litigieuse et il vous représente en cas de litige.

Son rôle débute dès que vous commencez à faire des affaires avec votre brevet. Comme dans les autres domaines, vos activités soulèvent toutes sortes de situations conflictuelles.

Le domaine du brevet présente une caractéristique importante. Les affaires sont fondées sur le droit de poursuivre en justice quiconque utilise une innovation brevetée sans autorisation. Elles s'appuient donc sur la menace d'une poursuite judiciaire. Résultat : les dossiers oscillent constamment entre la négociation et le litige. C'est pour cette raison que l'avocat joue un si grand rôle dans ce domaine.

L'entente de licence

L'entente de licence est le contrat qui décrit les conditions selon lesquelles vous permettez à quelqu'un d'autre d'utiliser votre innovation brevetée. Or, qui dit contrat dit avocat.

Dans une entente de licence, l'avocat joue le rôle de conseiller et de rédacteur. Il vous conseille au sujet des clauses et de leurs implications. Il rédige ensuite l'entente selon vos directives.

Lorsque vous négociez une licence avec quelqu'un, vous n'êtes pas en situation de conflit : vous faites des affaires. Vous négociez avec un client potentiel. Le rôle de votre avocat se limite ici au strict minimum. Il se peut qu'il n'ait aucunement à intervenir.

La négociation débouche normalement sur une entente de principe. Faites appel à votre avocat pour rédiger celle-ci. Il rédigera les conditions que vous avez négociées. Il assurera votre protection et verra à ce que l'entente de principe ne vous nuise pas au moment de la négociation de l'entente finale.

Une fois que l'entente de principe est signée, il faut rédiger l'entente finale. Les compétences de l'avocat prennent ici toute leur importance. C'est grâce à lui que vous obtiendrez un contrat qui vous protègera et qui respectera à la lettre vos exigences. Il anticipera les situations conflictuelles potentielles et tentera de les couvrir afin de les éviter.

Cela dit, faites attention de ne pas alourdir votre entente inutilement. Parfois, à trop vouloir tout prévoir on prévoit l'improbable. Les clauses que l'on négocie alors compliquent la négociation et augmentent les risques d'échec. Optez pour la simplicité et limitez-vous à l'essentiel.

> **ATTENTION !**
>
> *Malgré toute la compétence et la bonne volonté de votre avocat, il lui est impossible de connaître votre entreprise autant que vous. Il ignore vos objectifs d'affaires, la limite de vos ressources, les compromis que vous êtes prêt à faire. Demeurez donc maître de la situation.*

Un contrat, disons-le, c'est ennuyeux à lire. Pourtant, ne laissez pas l'avocat s'en occuper tout seul. Restez impliqué. Lisez et relisez le contrat et chacune de ses modifications. Connaissez-le et comprenez-le bien. N'hésitez pas à poser des questions. Comprenez exactement les implications de chaque clause, incluant celles que votre avocat qualifie de standard.

Faites l'exercice de visualiser l'avenir. Demandez-vous comment chaque clause influence votre liberté de faire des affaires à l'avenir. Assurez-vous que votre avocat comprend bien vos intentions et vos réserves. C'est ainsi que vous obtiendrez un bon contrat.

La contrefaçon du brevet

Une contrefaçon représente une opportunité d'affaires qui dépend de votre volonté et de celle du contrefacteur d'éviter un conflit juridique.

En cas de contrefaçon, vous entrez dans un processus de négociations plus ou moins long, qui oscille constamment entre la négociation et le litige.

L'avocat joue le rôle de conseiller. Il précise vos droits, ceux du contre-facteur, et les jurisprudences nationales et internationales.

En tant qu'entrepreneur, vous faites tout pour que la négociation se poursuive. Vous utilisez le litige comme argument ultime pour forcer l'autre partie à demeurer à la table de négociations.

Sans être toujours essentielle, la présence de l'avocat aux séances de négociations est souvent requise. Son rôle est d'appuyer vos préten-tions et de vous soutenir dans vos négociations. La présence de cet ex-pert reconnu vous donne aussi une crédibilité qui peut faire la différence au moment du dénouement des négociations. Elle confirme, en outre, votre capacité à passer à l'action et à poursuivre le contre-facteur en justice.

Votre avocat peut avoir un penchant pour le litige, qui est sa spécialité. Gardez le leadership. Ne perdez jamais de vue que vous privilégiez l'en-tente négociée. Le litige est toujours votre dernier recours.

Faites attention à sa tendance à vouloir mener les discussions au cours d'une séance de négociations. C'est vous qui devez demeurer le leader. N'ayez pas peur, vous, vous êtes à la hauteur. Et n'oubliez jamais que c'est de votre *business* que l'on parle.

À votre demande, votre avocat rédige votre correspondance. Il sait comment le faire tout en protégeant vos droits. Lorsque vos lettres sont rédigées à l'interne, faites-les vérifier par lui avant leur transmission. Cela n'augmentera pas trop vos frais d'honoraires et constituera une bonne police d'assurance contre des erreurs parfois irréparables.

La négociation en contrefaçon se solde soit par une entente hors cour, soit par un conflit juridique. Dans chacun des cas, l'avocat joue un rôle clé.

Il rédige l'entente. Il voit à ce que le contrat vous protège et respecte à la lettre vos exigences.

Malgré l'ennui que cela représente, impliquez-vous dans la rédaction de l'entente hors cour. Comme pour l'entente de licence, lisez et relisez le contrat ainsi que chacune de ses modifications. N'hésitez pas à poser toutes les questions que vous jugez nécessaires pour comprendre exactement les implications de chaque clause.

En dépit de tous vos efforts pour trouver un terrain d'entente avec votre contrefacteur, il est possible que vous vous retrouviez devant une impasse. C'est le conflit juridique qui s'impose alors.

Votre avocat vous donne son avis sur vos chances de gagner et sur les risques encourus. Il vous expose l'ampleur des coûts auxquels vous devez vous attendre. Il vous explique les étapes à traverser dans ce type de litige. Selon ses informations, vous décidez d'enclencher les démarches légales ou de ne pas les enclencher.

Autant vous êtes l'acteur central des négociations, autant c'est l'avocat qui est l'acteur central du conflit juridique. Il est l'expert. Secondez-le dans ses démarches. Écoutez ses conseils. Faites ce qu'il vous demande. Mais, encore une fois, puisqu'en bout de ligne c'est vous qui payez la note, arrangez-vous pour comprendre ce qui se passe. Évaluez en permanence vos chances de gagner. Selon la suite des événements, vous déciderez de retirer votre plainte ou vous irez jusqu'au bout.

L'avocat : trucs et astuces

Faites appel à votre avocat pour comprendre l'aspect juridique du dossier. Consultez-le pour bien saisir vos droits et ceux de votre adversaire. Il vous donnera son avis sur les chances de gagner ou sur les risques de perdre.

N'hésitez pas à lui poser des questions jusqu'à ce que vous ayez compris parfaitement. Comme avec l'agent de brevets, prenez des notes ; cela vous permettra d'éviter de poser les mêmes questions au moment d'une autre consultation, donc de payer deux fois pour la même information.

Avec votre avocat, comprenez les implications juridiques, les solutions possibles et les risques d'échec. Cependant, n'oubliez pas que la décision vous revient. C'est vous qui assumerez les conséquences de votre décision, les bonnes comme les mauvaises. Quant à l'avocat, il facture ses honoraires, quel que soit le résultat.

Préparez vos rencontres. Rédigez clairement vos questions et l'objectif que vous visez. Votre avocat vous répondra alors de façon plus précise. Vous économiserez plusieurs heures de consultation, donc d'importants frais d'honoraires.

Malgré le plaisir tiré de discussions portant sur des aspects personnels, n'oubliez pas que vous êtes facturé à l'heure par votre professionnel. Chaque minute passée à lui parler de vos vacances ou de tout autre sujet qui ne concerne pas le dossier risque de vous être facturée. Autant limiter les échanges au strict minimum permis par les convenances. Je sais, je me répète, mais c'est si facile à oublier !

Dernier conseil : chaque fois que vous lui confiez un mandat, demandez-lui d'évaluer l'ampleur de son travail. Insistez pour qu'il estime le nombre d'heures requises pour la réalisation de son travail. Vous avez besoin de cette information pour décider de la pertinence du mandat.

Bref, dans le domaine du brevet, un avocat est un partenaire dont vous avez besoin. Pour éviter les mauvaises surprises et des frais d'honoraires parfois surprenants, faites appel à ses services judicieusement.

Choisissez votre avocat. Choisissez-le pour ses compétences, son expérience et son réseau de contacts. Mais ce n'est pas tout! Vous devez avoir des atomes crochus avec lui (ou elle). Après tout, il risque de devenir un partenaire stratégique dans vos activités liées au brevet.

Il y a bien d'autres choses à savoir sur l'avocat, sur ses compétences, ses rôles, etc. Vous pouvez certainement en rajouter. Disons que c'est un *work in progress*.

CONCLUSION

Une dernière petite histoire

En tant qu'entrepreneure à la tête d'une entreprise de haute technologie, j'ai vite compris qu'innover est payant. J'ai cependant mis plus
de temps à comprendre que breveter une innovation, c'est encore plus
payant.

À nos débuts, nous avons fait breveter une technologie que nous
avions mise au point pour répondre à la demande spécifique d'un
client important. Nous l'avons brevetée davantage pour une question
de prestige que pour une question d'affaires.

Alors que nous nous acharnions à développer des systèmes complexes
de gestion de réseaux de télécommunications, nous regardions de haut
l'innovation que nous avions brevetée, qui s'appliquait, tout banale-
ment, à des boîtiers d'ordinateur. Avouez que c'est moins glamour d'innover en matière de boîtier de PC, même industriel, que d'innover en
matière de système informatique sophistiqué.

Quoi qu'il en soit, la technologie brevetée dormait dans notre bilan lorsque, par un concours de circonstances exceptionnelles, nous avons dû nous tourner vers cet actif virtuel. Sans grand enthousiasme, j'ai analysé son potentiel commercial. Un drôle de phénomène s'est alors produit. Plus je l'analysais, plus je m'enthousiasmais. J'ai pris conscience du fait que l'innovation en question, que nous qualifiions de banale, répondait à un besoin spécifique du marché. Et, parce qu'elle était brevetée, nous étions les seuls à pouvoir l'offrir. J'ai finalement convaincu mon partenaire que c'était une voie intéressante à explorer.

Il s'est avéré que la commercialisation de cette technologie, qui ne présentait à première vue que peu d'intérêt, a été un franc succès. Elle m'a fait voyager dans le monde, elle m'a permis de rencontrer des personnes extraordinaires et, surtout, elle m'a enrichie.

Mon but, en vous racontant cette histoire, est d'attirer votre attention sur le fait que, *même si toutes les idées ne méritent pas d'être brevetées, toutes méritent qu'on y porte attention.* Les technologies les plus ternes peuvent se révéler un trésor caché.

Quelques recommandations

Avant de clore ce livre, j'aimerais vous faire trois recommandations.

D'abord, lorsque vous êtes inventeur ou innovateur, ou encore lorsque des personnes innovent dans votre entreprise, préparez-vous à déposer des brevets.

- Gardez toujours à l'esprit que vous êtes peut-être en train de mettre au point une invention brevetable.

- Pour chaque innovation mise au point, faites une demande de brevet.

- Gardez le secret de tout ce que vous faites en développement.

- Documentez votre processus de développement et conservez ces documents.

- Servez-vous des délais exigés par les procédures de prise de brevet pour vérifier si l'innovation a du potentiel.

- Lorsque c'est le cas, n'hésitez pas, brevetez votre invention.

Ensuite, lorsque vous avez breveté une innovation, faites du commerce avec votre brevet.

- Ne le laissez pas dormir.

- Considérez-le comme un moyen supplémentaire de faire des affaires.

- Faites-vous seconder par des gens en qui vous avez confiance, mais n'oubliez pas qu'ils vous conseillent et que c'est vous qui décidez.

- Demeurez toujours le maître d'œuvre des activités qui touchent à votre brevet.

- Conservez l'exclusivité de vos produits. Partagez-la par l'intermédiaire de licences ou vendez-la. Quel que soit votre choix, assurez-vous que cela vous rapporte quelque chose.

- Considérez la planète comme un marché potentiel.

- Considérez les contrefacteurs comme des partenaires d'affaires potentiels.

Enfin, lorsque vous êtes entrepreneur, faites-vous confiance.

- Vous êtes un homme ou une femme d'affaires. À ce titre, vous êtes le ou la spécialiste des affaires.

- L'agent de brevets est le spécialiste des brevets, mais c'est vous qui êtes le spécialiste des affaires liées au brevet.

- L'avocat est le spécialiste du domaine juridique, mais c'est vous qui êtes le spécialiste des affaires liées à une cause juridique.

• Le consultant est un spécialiste dans son domaine, mais c'est vous qui êtes le spécialiste des affaires liées à votre domaine.

Voilà ! J'espère que, avec mon livre, je vous ai éclairé, informé, diverti et surtout convaincu que « innover, c'est bien… mais breveter, c'est mieux ».

À vous de jouer maintenant !

Bonne chance !

ANNEXES

Annexe 1 - Les étapes de prise de brevet

Prendre un brevet semble compliqué. Pourtant, dans les faits, le processus couvre **3 étapes principales** :

1. déposer une *demande de brevet* ;

2. déposer une *requête d'examen* ;

3. déposer le brevet.

Étape 1 : déposer une demande de brevet

Cette première étape est extrêmement importante. La date à laquelle vous déposez votre *demande de brevet* détermine (presque partout dans le monde) la date officielle à laquelle l'invention couverte par le brevet a été inventée. Cette date sert, entre autres choses, de référence lorsqu'il faut vérifier l'existence d'un art antérieur ou l'antériorité de votre brevet par rapport à un autre. Cette date peut même servir de référence pour déterminer la journée à partir de laquelle les dommages causés par une contrefaçon sont calculés.

Il est vraiment important que, avant cette date, aucune divulgation publique de votre invention n'ait été faite, puisque cela annulerait vos chances de faire breveter cette dernière.

Cependant, dès que votre demande de brevet est déposée, vous pouvez commencer à parler publiquement de votre invention sans mettre en péril vos chances de brevetabilité.

Lorsque votre *demande de brevet* est acceptée, un numéro lui est attribué, et la date de demande est confirmée.

Sachez que, après le dépôt de votre *demande de brevet*, vous pouvez compter sur une période de 18 mois avant que votre invention devienne publique. Ce délai vous permet d'analyser discrètement le potentiel du marché de votre invention, de concevoir un produit couvert par celle-ci ou de voir comment elle peut vous donner un avantage commercial significatif à l'avenir ; cela, étant donné que vos compétiteurs potentiels ignorent toujours son existence.

Mais attention ! cela ne signifie pas que votre invention est brevetable. C'est en franchissant la seconde étape, soit l'examen de votre demande de brevet, que vous saurez si votre invention l'est ou non.

Étape 2 : déposer une requête d'examen

Vous avez déposé votre demande de brevet. Sachez que l'examen de cette demande ne se fait pas automatiquement. Pour que le processus s'enclenche, vous devez en faire la demande. C'est ce qu'on appelle la *requête d'examen*.

Servez-vous du délai requis à l'examen de votre demande pour reporter les déboursés liés au dépôt du brevet. Grâce à cette période de grâce, vous vous donnez le temps de trouver les technologies compétitrices, de recueillir les renseignements dont vous avez besoin pour décider si le dépôt de votre brevet est une bonne chose et pour voir dans quels pays il serait rentable de le déposer.

Une fois que vous avez déposé votre demande de *requête d'examen*, calculez jusqu'à 24 mois pour recevoir la réponse du bureau des brevets.

Que peut-il se passer durant cette période d'examen ?

Eh bien, l'examinateur valide la brevetabilité de votre invention ! Essentiellement, il vérifie si l'invention que vous présentez correspond aux trois critères de brevetabilité :

1. L'invention est-elle nouvelle ? L'examinateur fait une recherche d'antériorité.

2. L'invention représente-elle un avancement technologique significatif ? L'examinateur analyse la « force » de l'invention proposée. Il vérifie, notamment, si une personne initiée au domaine aurait pu la trouver facilement. Si c'est le cas, elle ne peut pas être brevetée.

3. L'invention est-elle industrialisable ? L'examinateur vérifie si elle peut être fabriquée réellement.

Ce processus peut soulever des questions de la part de l'examinateur. Des échanges, pour ne pas dire des négociations, s'effectuent alors entre vous (ou votre représentant) et lui. Son verdict tranchera la question.

> *ATTENTION !*
>
> *Il arrive que quelqu'un s'oppose à une demande de brevet en produisant ce qu'on appelle un dossier d'antériorité, c'est-à-dire une preuve que l'invention dont vous prétendez avoir la priorité a déjà été du domaine public (a déjà été brevetée, intégrée dans un produit, documentée publiquement, etc.). Ces nouvelles informations feront partie du dossier, et l'examinateur en tiendra compte dans son analyse.*

Après toutes ces analyses, l'examinateur émet un avis de brevetabilité.

Si celui-ci est défavorable, vous pouvez accepter le verdict et vous résoudre à vous passer de brevet ou vous pouvez faire appel de sa décision. Dans ce dernier cas, un processus de négociations entre lui et vous (ou votre représentant) s'amorce.

Si le verdict final est favorable, bravo ! Vous avez le champ libre et vous pouvez déposer votre brevet.

> *UN PETIT CONSEIL*
>
> *Vous devez faire une requête d'examen pour chaque pays où vous désirez déposer votre brevet. Si votre intention est de le déposer dans plusieurs États, je vous conseille d'envisager sérieusement de faire une demande d'examen internationale. C'est ce qu'on appelle communément une demande PCT.*

Étape 3 : déposer le brevet

Vous avez reçu un avis favorable de l'examinateur. Vous devez maintenant déposer votre brevet dans chaque pays où vous désirez protéger votre invention.

Vous déposerez votre demande de brevet dans chaque pays sélec-tionné. Lorsqu'un pays accepte votre demande, vous devez payer la taxe de dépôt avant d'obtenir votre brevet.

Enfin, vous devez faire en sorte que votre brevet soit actif en payant les taxes de maintien correspondantes à chaque pays où vous l'avez déposé.

Voilà, en gros, les étapes à franchir pour obtenir la protection que votre invention mérite.

Annexe 2 - Qu'est ce qu'une demande PCT ?

Avez-vous déjà eu l'impression que tout le monde savait ce qu'était un PCT, à part vous ? Longtemps, j'ai hésité à poser cette fameuse question : c'est quoi, un PCT ?

PCT est le sigle de Patent Cooperation Treaty. Il s'agit d'un traité signé en 1970 par plusieurs pays et visant essentiellement à simplifier la procédure de *requête d'examen* lorsque l'inventeur veut procéder à l'échelle internationale (soit dans plusieurs pays).

Autrefois, l'inventeur désireux d'obtenir un brevet dans plusieurs pays devait déposer une requête d'examen dans chaque pays sélectionné. Il traitait avec chacun individuellement et devait adapter sa demande (formulaires, langue, etc.) à chacun. Il devait ensuite négocier la validité de ses revendications pays par pays. C'était un vrai casse-tête, et la démarche nécessitait d'importants déboursés.

Géré par l'Organisation mondiale de la propriété intellectuelle (OMPI), le PCT constitue une sorte de guichet unique pour la demande d'examen. Ainsi, l'inventeur n'a qu'un seul dépôt de requête d'examen à faire.

Comme dans le cas d'un dépôt de requête d'examen national, l'examinateur émet un avis. Si celui-ci est favorable, l'inventeur peut amorcer le dépôt du brevet dans les pays sélectionnés.

> *ATTENTION !*
>
> *Un avis favorable relativement à une demande PCT ne signifie pas automatiquement qu'un brevet sera émis par les pays concernés. Chacun demeure indépendant et applique ses propres lois concernant le brevet.*

Pour en savoir plus sur le PCT, vous pouvez visiter le site de l'OMPI, au http://www.wipo.int/pct/fr/filing/filing.htm. Vous y trouverez une panoplie d'informations des plus intéressantes.

Annexe 3 - Quelques références intéressantes

OPIC   Office de la propriété intellectuelle du Canada

www.opic.ic.gc.ca

La mission de l'OPIC consiste à accélérer le développement du Canada, c'est-à-dire à favoriser l'utilisation du régime de la propriété intellectuelle et l'exploitation des renseignements en la matière ; à encourager l'invention, l'innovation et la créativité au Canada ; à administrer les divers volets du régime de la propriété intellectuelle au Canada ; et à promouvoir les intérêts internationaux du Canada en matière de propriété intellectuelle.

OMPI Organisation mondiale de la propriété intellectuelle

www.wipo.int/sme/fr

L'OMPI est une institution spécialisée des Nations Unies. Sa mission consiste à élaborer un système international équilibré et accessible de propriété intellectuelle récompensant la créativité, stimulant l'innovation et contribuant au développement économique, tout en préservant l'intérêt général.

FORPIQ Forum international de la propriété intellectuelle — Québec

www.forpiq.com

Le FORPIQ est un organisme sans but lucratif constitué d'un partenariat entre l'Institut de la propriété intellectuelle du Canada (IPIC), le groupe canadien de l'Association internationale pour la protection de la propriété intellectuelle (AIPPI), le groupe canadien de la Fédération internationale des conseils en propriété industrielle (FICPI) et la Licensing Executives Society (LES).

IPIC   Institut de la Propriété Intellectuelle du Canada

http://www.ipic.ca/

L'IPIC est une association nationale qui regroupe plus de 1 700 membres provenant du Canada et de l'étranger. L'IPIC est la seule association professionnelle canadienne à laquelle adhèrent presque tous les agents de brevets, les agents de marques de commerce et les avocats spécialisés en propriété intellectuelle.

AIPPI Association internationale pour la protection de la propriété intellectuelle

https://www.aippi.org/

L'objectif de l'AIPPI est l'amélioration et la promotion de la protection de la propriété intellectuelle autant sur le plan national que sur le plan international. Cette association poursuit son objectif en travaillant au développement, à l'expansion ainsi qu'à l'amélioration des ententes et des traités nationaux et internationaux, de même qu'aux lois nationales liées à la propriété intellectuelle.

LES The Licensing Executives Society (organisme anglophone)

http://www.lesusacanada.org/

Established in 1965, the Licensing Executives Society (U.S.A. and Canada), Inc. (LES) is a professional society comprised of over 6,000 members engaged in the transfer, use, development, manufacture and marketing of intellectual property.

IPO Intellectual Property Owners Association (organisme anglophone)

http://www.ipo.org

Established in 1972, IPO is a trade association for owners of patents, trademarks, copyrights and trade secrets. IPO is the only association in the U.S. that serves all intellectual property owners in all industries and all fields of technology.

Annexe 4 - Dix portefeuilles de brevets imposants (2008)[2]

ORGANISATION	BREVETS
IBM	4 169
Samsung	3 502
Hitachi	2 197
Canon	2 153
Microsoft	2 043
Intel	1 772
Panasonic	1 760
Toshiba	1 575
Fujitsu	1 475
Sony	1 461

2   Source : www.IPO.org the IP Record-2009